KB171450

형사 변호사가 소개하는
성범죄 방어 지침서

형사 변호사가 소개하는 성범죄 방어 지침서

발 행 | 2024년 07월 24일
저 자 | 변호사 최봉균, 변호사 안영진
펴낸이 | 한건희
펴낸곳 | 주식회사 부크크
출판사등록 | 2014.07.15.(제2014-16호)
주 소 | 서울특별시 금천구 가산디지털1로 119 SK트윈타워 A동 305호
전 화 | 1670-8316
이메일 | info@bookk.co.kr

ISBN | 979-11-410-9708-0

www.bookk.co.kr

형사변호사가 소개하는 성범죄 방어지침서

변호사 최봉균, 변호사 안영진 지음

CONTENT

Ⅰ.

저자소개

변호사 최봉균

서울대학교 경영대학을 졸업하고, 변호사시험에 합격하였다. 현재는 법무법인 평안 구성원(파트너) 변호사로 일하면서 삼성전자 사업지원 TF 증거인멸 사건, 유명연예인 프로포폴 투약사건, 상상인 주가조작사건, LH 직원들의 투기 사건 등 다수의 형사사건에서 좋은 성과를 도출하였고, SBS, CBS 자문변호사, 광진경찰서 수사민원상담센터 자문변호사로도 활동하고 있다.

변호사 안영진

중앙대학교 법학전문대학원을 졸업하고, 변호사시험에 합격하였다. 법무법인 시우를 거쳐, 현재 법무법인 평안 형사팀에서 활동하고 있다.

들어가며

이 책은 성범죄 사건을 진행하며 의뢰인에게 설명이 필요한 부분을 글로 남기는 것으로부터 시작되었습니다. 업무를 수행하며 적은 글을 모아보니, 여러 사정으로 변호사를 만나기 어려운 성범죄 피의자 · 피고인(가해자)[1]을 위하여 책으로 발간하면 좋겠다고 생각하게 되었고, 이 책을 출판하기에 이르게 되었습니다.

법을 공부하지 않은 독자라도 이해가 쉽도록 작성하였고, 본문의 흐름을 위해 의도적으로 삭제한 내용도 다수 있습니다. 변호사로서 실무에서 성범죄를 다뤄본 경험이 많지만, 돌다리도 두드려보고 건넌다는 심정으로 수많은 선배 법조인의 책과 법조문을 일일이 검토하며 작성하였고, 관련해서 참고한 서적이 있는 경우에는 반드시 출처를 달아두었습니다.

이 책에서 주로 참고한 도서는 아래와 같습니다. 「① 이창현, 『형사소송법(제9판)』, 정독(2023), ② 이주원, 『형법총론(제2판)』, 박영사(2023), ③ 오영근, 『형법각론(제8판)』, 박영사(2023), ④ 이주원, 『특별형법(제9판)』, 홍문사(2023), ⑤ 채다은, 『진짜 성범죄 사건』, 좋은땅(2022), ⑥ 채다은, 『당신 탓이 아니다』, 좋은땅(2022), ⑦ 박원경, 『변호사님, 이게 성범죄 피해가 맞나요?』, 탬(2022), ⑧ 강민구, 『성범죄 성매매 성희롱』, 박영사(2021), ⑨ 민경철, 『24시 성

1) 이하 별도로 구분이 필요가 없는 경우에는 '가해자' 등으로 지칭합니다.

범죄 케어센터』, 박영사(2022) 등 다수」

최신 개정 법규를 모두 반영하였고, 성범죄 분야에서 쟁점이 되는 법리와 **하급심 판결을 최대한 많이 소개하고자 노력**하였습니다. 특히 무죄가 선고된 하급심 판결을 최대한 많이 요약·소개하여 참고가 되도록 하였습니다(다만 안타깝게도 분량의 한계상 기수와 미수에 대해서는 담지 못하였습니다).

이 책이 억울하게 고소·수사를 당하여 막연한 두려움에 떨고 있는 성범죄 피의자들에게 한 줄기 희망이 되기를 바랍니다.

Ⅱ. 성범죄에 대한 수사의 진행

1. 경찰의 전화

이 책을 읽는 당신은 성범죄로 입건(수사기관이 구체적인 범죄혐의를 인지한 경우를 수사의 개시라고 하고, 이와 같은 수사개시의 형식적 절차를 '입건'이라고 합니다)되었습니다(=이를 가정합니다). 이 경우 일반적으로 경찰로부터 몇 월 며칠 몇 시에 조사를 위해서 출석할 수 있냐는 전화를 받게 됩니다(형사소송법 제200조는 "검사 또는 사법경찰관은 수사에 필요한 때에는 피의자의 출석을 요구하여 진술을 들을 수 있다."라고 규정하고 있기 때문입니다).

이때 가장 중요한 점은 섣부르게 경찰에게 범죄사실을 인정하거나 부인한다고 언급하지 않고(만약 전화로 인정 또는 부인한다는 내용을 언급하는 경우 그 내용을 바탕으로 사법경찰관이 수사 보고를 작성할 수도 있고, 경찰에 불필요한 예단을 심어줄 가능성이 있기 때문입니다), '변호사를 선임하겠다.', '(일정을 확인한 뒤에) 잠시 뒤 바로 연락을 드리겠다.' 등으로 시간을 번 뒤에,

반드시 「시간 순서대로 본인의 기억을 정리하고 본인의 기억에 부합하는 증거들(사건 전후 나누었던 카카오톡 대화 내용, 모텔 현관 CCTV 등)을 꼼꼼하게 검토하며, 사건 초기부터 자신의 입장을 잘 정리」하여야 합니다{민경철, 『24시 성범죄 케어센터』, 박영사(2022), p.11}. 가장 추천하는 방법은 컴퓨터 앞에 앉아 워드프로세서로 그날 있었던 일을 시간순으로 구체적으로 기재하고, 이에 부합하는 증거가 있는지 확인하는 것입니다.

☞ '예컨대 고소인이 먼저 만나자고 유혹한 메시지, 모텔에 들어갈 때 둘이 팔짱을 끼고 들어간 CCTV 화면, 성관계를 하고 고소인이 보낸 문자 메시지, 고소인이 다른 참고인과 주고받은 대화 내용 등{강민구, 『성범죄 성매매 성희롱』, 박영사(2021), p.218}' 자신에게 유리한 증거가 있는지를 중심으로 증거를 취합하여야 합니다.

만약 사건 발생 당일 있었던 일을 정리하고, 부합하는 증거까지 정리했다면 이제 자신의 입장을 정해야 합니다. 범죄사실을 모두 인정할 것인가? 부분만 인정할 것인가? 전부 부인할 것인가? (...)

실제(=역사적인) 사실관계가 어떻든 관련 증거로서 현출되는(=인식되는) 사실관계가 불리하다면 범죄사실을 모두 인정하는 것이 타당하고, 그렇지 않다면 범죄사실을 부인할 수 있습니다. 이 과정에서 워드프로세서로 작성했던 내용을 가지고 변호사와 상담하여 자신의 입장을 정리하는 것이 효과적입니다.

☞ 변호사의 상담에 관하여, 변호사와 법률상담을 받는다고 하여 무조건 변호사를 선임하여야 하는 것은 아닙니다. **여러 변호사를 만나보고 여러 조언을 듣는 것은 오히려 의뢰인의 권리**라고 볼 수도 있습니다. 다만 무료 상담의 경우나 변호사 자격이 없는 사무장이 상담할 때는 그 내용의 정합성을 담보할 수 없으므로, 비용이 조금 들더라도 자격이 있는 변호사에게 유료 상담을 받는 것을 권유합니다.

☞ 특히 성범죄 사건을 수행하면서 초기에 가장 많이 신경을 써야 하는 부분은 '비밀보장'입니다. 자신이 성범죄 혐의를 받고 있다는 사실이 가족 또는 주변에 알려지는 것은 본인에게 큰 피해이기 때문입니다. 이에 변호사를 선임하는 경우, 변호사사무실로 「송달주소변경신청」을 진행하여, 우편물이나 소환장 등을 변호사사무실로 오도록 하면, 갑자기 구속되는 상황이 발생하지 않는 한 가족 모르게 사건이 마무리될 수 있습니다{채다은, 『복잡한 법 말고, 진짜 성범죄 사건』, 좋은땅(2022) 참조}.

2. 피의자 조사

가. 고소장 정보공개 청구(열람 · 등사 청구)

피해자의 고소로 사건이 진행된 경우, 가장 먼저 범죄사실을 확인할 필요가 있습니다. 담당 수사관에게 자신이 어떤 범죄사실로 고소당하였는지 물어보면 대략 알려주는 경우가 있지만, 정확한 고소내용을 확인하기 위해서는 고소장 자체를 확보할 필요가 있기 때문입니다.

경찰 수사서류 열람 · 복사에 관한 규칙 제3조 제2항은 "피의자·피진정인, 그 변호인은 필요한 사유를 소명하고 고소장, 고발장, 진정서의 열람·복사를 신청할 수 있다. 이 경우 고소·고발장, 진정서의 내용 중 혐의사실에 한정하고 개인정보, 혐의사실 중 참고인에 관한 사실, 증거방법 및 첨부된 제출서류 등은 제외한다."라고 규정하고 있으므로, 피의자 본인은 고소장 중 '혐의사실'에 한하여 열람 · 복사를 신청할 수 있습니다.

한편 동 규칙 제4조 제1항은 "제3조 각 항의 경찰 수사서류 열람·복사를 신청하고자 하는 경우 인터넷, 우편을 이용하거나 기타 당해 사건을 관할하는 경찰청 및 소속기관에 방문하여 정보공개청구의 방법으로 접수할 수 있다."라고 규정하고 있으므로 피의자는 ① 인터넷, ② 우편, ③ 경찰서 방문 등 방법으로 고소장을 확보할 수 있습니다. 최근에는 정보공개포털(https://www.open.go.kr)을 활용하여 이메일로 확보하는 방법을 많이 사용하고 있습니다.

나. 피의자 조사 전 합의 여부

만약 위와 같이 고소장을 확보하여 읽어보고, 또 관련하여 모은 증거가 불리한 경우에는 억울하지만, 혐의를 모두 인정하고, 합의를 하는 것이 타당합니다(아래에서 상세히 말씀드리겠지만 양형기준은 '피해자와 합의 여부'를 매우 중요하게 규정하고 있기 때문입니다). 특히 수사 전(前) 단계에서 피해자와 합의하고 수사 진행 내내 범죄사실을 모두 인정하며 깊이 반성하는 태도로 일관할 때는 죄명이나 죄질에 따라 기소유예 처분이나, 선고유예 판결 등으로 사건이 마무리되는 경우가 실무상 다수 있습니다.

그렇다면 피해자와 합의를 어떻게 해야 할까요? 가장 우선은 자기 행동을 반성하고 피해자에게 용서를 구하는 것입니다. **합의는 피해자의 권리이지, 피해자가 무조건 응해주어야 하는 것은 아니기 때문**입니다. 피해자가 원치 않는 합의는 애초에 불가능합니다. 실무에서 법원은 가해자가 피해자에게 합의를 강요한 사안에서 가해자를 더욱 엄하게 처벌하는 경우가 다수 있기도 합니다.

☞ 수원지방법원 안양지원 2018. 4. 13. 선고 2017고합245 판결은 양형 이유에서 "피해자는 피고인과 피해자 아버지의 합의 강요

를 피해 집을 나오기도 하는 등 2차 피해를 받고 있어 피고인에게 엄한 처벌이 필요하다."라고 판시하기도 하였습니다.

따라서 가해자로서는 피해자에게 진심으로 사과드리며, 다음부터 다시는 이런 일이 벌어지지 않을 것이고, 다시는 연락하지 않을 것이지만, 정말 죄송스럽게도 합의 의사가 있으시다면 연락을 주시면 좋겠다는 취지의 자필 편지를 작성하여 전달하는 방법이 가장 최선이라고 생각합니다.

다만 변호사를 통해서 합의를 진행할 경우 피해자와의 대화가 가능하고, 피해자도 변호사는 어느 정도 신뢰하기 때문에 직접 혹은 피해자의 부모 등 대리인과 대화가 이뤄지기 쉽습니다. 피해자의 연락처를 알지 못하더라도 변호사는 수사기관에서 합의 의사를 밝혀 수사관을 통해 피해자로 하여금 연락을 유도할 수도 있으므로 {강민구, 『성범죄 성매매 성희롱』, 박영사(2021), p.218 - 219}, 스스로 합의를 진행하시기보다는 변호사를 선임하시기를 권유드립니다.

그렇다면 '특정 변호사'를 선임하면 무조건 합의를 할 수 있을까요? 단호하게 말씀드리는 데 전혀 아닙니다. 만약 "저를 선임하면 무조건 합의를 할 수 있습니다."라고 광고하는 변호사가 있다면 단언컨대 사기꾼이라고 말할 수 있습니다. 변호사마다 합의를 진행하는 방법과 노하우를 달리 가지고 있으므로, 앞서 말씀드린 바와 같이 다소 법률상담 비용이 발생하더라도 많은 변호사를 만나보시고 그중에 본인과 가장 잘 맞을 것 같은 변호사를 선임하시기를 권유합니다.

다. 피의자 조사의 진행

피해자와 합의가 된 경우, 조사를 받기 전에 합의서 및 처벌불원서(경우에 따라서는 고소취하서, 탄원서)를 수사기관에 제출하시고, 조사를 받으시기를 권유합니다. 만약 피해자와 합의가 되지 않은 경우지만 혐의를 모두 인정할 때는 경찰 질문에 성실히 대답해 나가고, 기회가 된다면 피해자와 합의하고 싶다는 취지를 조서에 남기시면 됩니다. 이후 수사관에게 협조를 구하여 피해자에게 합의 의사가 있는지를 물어볼 수 있다면 더욱 좋습니다.

문제는 피해자와 합의를 할 생각도 없고, 혐의를 모두 부인하는 경우입니다. 이때는 피의자 조사부터 매우 신중하게 진행하여야 합니다. 자신에게 유리한 증거를 정리해서 제출하고, 조사 초반부터 자신의 혐의를 벗을 수 있는 내용을 진술하여야 합니다. 일반적으로 고소장에는 주체, 시간, 상대, 목적, 행동 등이 기재되어 있는데, 이를 반박하기 위하여 "① 휴대전화 통화내역, ② 신용카드 결제내역, ③ 교통카드 사용기록, ④ 카카오톡 대화내용, ⑤ 통화 녹음파일, ⑥ 블랙박스 영상 등{민경철, 『24시 성범죄 케어센터』, 박영사(2022), p.19}"등을 제시하며 수사관에게 고소 사실이 사실(FACT)

과는 다르다는 점을 설명할 필요가 있습니다.

예를 들어 피해자는 『피의자가 2024. 3. 22. 09:21에 3호선 교대역 14번 출구 앞에서 피해자의 뒤에서 갑자기 손으로 피해자의 엉덩이를 쓸 듯이 만져 피해자를 강제로 추행하였다.』라고 고소장에 기재하였는데, 사실은 피의자는 2024. 3. 22. 09:21에는 교통카드 사용 기록상 3호선 경복궁역에 있었다든지, 아니면 카카오톡 대화 내용에 의하면 서로 사귀는 사이여서 동의를 받고 상대방의 엉덩이를 쓸 듯이 만졌다든지 하는 등의 변소가 가능할 것입니다.

한편 피의자 조사를 받으실 때는 아래와 같은 점을 주의하시기 바랍니다. **① 수사관이 묻는 말에 짧게 답변하시기를 바랍니다. 다시 한번 말씀드리는데 본인이 하고 싶은 이야기를 하지 마시고 수사관이 묻는 말에 대한 답변을 '짧게'하시기 바랍니다.** 답변이 길게 되면 중언부언하게 되거나, 실언(失言)하게 될 가능성이 커 지므로 굳이 길게 답변할 이유가 없습니다.

② 거짓말을 하지 말고, 기억나는 것만 대답하시기 바랍니다. 즉 유리하다고 판단하여 과장하여 얘기하거나 불리하다고 판단하여 거짓말을 하지 마시기를 바랍니다. 수사관은 '수사'를 업으로 하는 사람입니다. 거짓말을 하시게 되면 반드시 티가 나게 되고, 수사관은 그때부터 본인이 한 모든 발언을 믿지 않게 될 것입니다. 또한 기억나지 않는 내용을 억지로 과장하여 얘기하지 마시고, 기억이 나

지 않으면 솔직하게 기억이 나지 않는다고 답변하시면 됩니다(기억하고 있는 내용이더라도 피의자는 '진술거부권'이 있으므로 적극적으로 이야기를 안 할 수는 있겠지요).

③ 가능하면 변호사를 선임하시기 바랍니다. 변호사가 진술하는 것은 아니지만 변호사가 동석함으로써 수사관의 강압적인 질문을 방지할 수 있고, 수사를 받은 이후에 즉시 쟁점이 되는 사항에 관하여 의견서를 작성해서 제출하는 것이 혐의를 벗는데 중요하기 때문입니다(따라서 피의자의 입장에서 만약 변호사를 선임한 경우라면, 그 변호사가 수사관의 질문을 잘 듣고 있는지, 조사가 마무리된 이후에 적절히 의견서를 작성하여 제출하거나, 구두변론을 하는지 등을 확인할 필요가 있습니다).

④ 조사가 마무리된 이후에는 반드시 조서를 열람하시기 바랍니다. 형사소송법 제244조 제2항은 "제1항의 조서(피의자의 진술이 기재된 조서)는 피의자에게 열람하게 하거나 읽어 들려주어야 하며, 진술한 대로 기재되지 아니하였거나 사실과 다른 부분의 유무를 물어 피의자가 증감 또는 변경의 청구 등 이의를 제기하거나 의견을 진술한 때에는 이를 조서에 **추가로 기재하여야 한다.** 이 경우 피의자가 이의를 제기하였던 부분은 읽을 수 있도록 남겨두어야 한다." 라고 규정하고 있습니다.

즉 통념과는 다르게 진술한 대로 기재되어 있지 않은 것에 그치

지 않고, A라고 진술했더라도 B라고 내용을 '추가' 기재하는 것은 가능합니다. 예를 들어서,

문　오늘 점심 식사는 무엇을 먹었나요?
답　볶음밥을 먹었습니다.

라는 문답이 있다고 가정하였을 때, 위 내용에서 '문'은 고칠 수 없지만, '답' 부분에 아래와 같이 기재할 수 있는 것입니다.

문　오늘 점심 식사는 무엇을 먹었나요?
답　볶음밥을 먹었습니다. *다시 생각해보니 짬뽕을 먹은 것 같습니다.*

따라서 조사를 마무리하셨다고 조서를 대충 열람하지 마시고, 반드시 꼼꼼히 읽어보시고 추가할 부분이 있는지 살피시기를 바랍니다.

⑤ 위와 같은 모든 절차가 끝난 뒤에는 앞서 말씀드린 정보공개 청구 사이트를 통하여 피의자신문조서를 입수하시고, 자신이 한 발언을 확인하시면 됩니다.

3. 경찰의 송치 · 불송치 결정

조사가 수 회 진행되고 나면(대질신문을 진행하는 경우가 있으나, 성범죄에서는 대질신문이 일반적으로 진행되지 않으므로 여기에서는 생략합니다), 사법경찰관은 송치결정을 하거나 불송치결정(수사중지결정, 즉결심판청구 등 있으나 여기에서는 생략합니다)을 하게 됩니다.

송치 결정이란 사법경찰관이 범죄를 수사한 후 범죄혐의가 있다고 인정되는 경우에 지체없이 검사에게 사건을 송치하고 관계 서류와 증거물을 검사에게 송부하는 결정이고,

불송치 결정이란 범죄혐의가 있다고 인정되지 않아 검사에게 사건을 송치하지 않고 그 이유를 명시한 서면과 함께 관계 서류와 증거물을 지체없이 송부하는 결정입니다{이창현, 『형사소송법(제9판)』, 정독(2023), p.528-529}.

즉 쉽게 말하면 송치 결정은 경찰관이 보았을 때 피의자에게 범죄 혐의가 인정된다고 보이므로 검사에게 '기소하여 달라'라며 기록을 송부하는 것이고, 불송치 결정은 경찰관이 보았을 때 피의자에게 범죄 혐의가 인정되지 않으므로 수사를 마무리하는 것을 의미합니다(다만 이 경우 검사의 재수사요청이 있는 경우에는 사법경찰관은 사건을 재수사할 의무가 있고, 고소인 등이 사법경찰관의 불

송치 결정에 이의신청하는 경우에는 검사가 당해 사건의 보완수사 진행 여부를 결정하게 되나 여기에서는 흐름상 생략합니다).

따라서 불송치 결정이 있는 경우에는 수사가 일응 무혐의로 종결된 것이고, 송치 결정이 있는 경우에는 아래 검찰 단계로 넘어가게 됩니다.

4. 검찰의 기소(구공판 · 구약식) · 불기소 결정[2]

[기소] 검사는 수사결과 범죄의 객관적 혐의가 충분하고 소송조건이 구비되어 유죄판결을 받을 수 있다고 인정할 때에는 공소를 제기합니다(형사소송법 제246조). 검사는 정식의 공소제기 외에 벌금, 과료 또는 몰수형에 처할 수 있는 사건에 관해서는 공소제기와 동시에 약식명령을 청구할 수도 있는데(형사소송법 제449조), 실무상 정식의 공소제기를 구공판이라고 하고, 약식명령청구를 구약식이라고 합니다{이창현, 『형사소송법(제9판)』, 정독(2023), p.532}.

[불기소] 불기소결정에는 그 이유에 따라 기소유예, 혐의없음, 죄가안됨, 공소권없음, 각하(공소권 없음, 각하의 경우 흐름상 생략합니다.)의 5가지 유형이 있습니다(수사준칙 제52조 제1항 제2호). ① [기소유예] 검사는 피의사실이 인정되고 소송조건이 구비되어

---

2) 보호사건송치와 중간처분(기소중지, 참고인중지, 보완수사요구 등)은 흐름상 생략합니다.

있으나 피의자의 연령 · 성행 · 지능 · 환경 · 피해자에 대한 관계 · 범행의 동기 · 수단 · 결과 · 범행 후의 정황 등을 참작하여 소추를 필요로 하지 않는 경우에 기소유예 결정을 할 수 있습니다(형법 제51조, 형사소송법 제247조, 검찰사건사무규칙 제115조 제3항 제1호). 즉 기소유예는 검사의 '재량'으로 되어있습니다(특정 요건을 갖추면 반드시 하여야 하는 '기속' 규정이 아닙니다).

한편 실무에서는 ⓐ 피해자가 있는 범죄에서 피해자와 합의를 한 경우, ⓑ 재범을 저지르지 않기 위해서 적절한 교육을 수강한 경우, ⓒ 피의자를 올바른 길로 인도할 가족 · 친구 · 동료들이 있어 재범 가능성이 낮은 경우, ⓓ 합의에 이르지 못하였더라도 피해회복이 어느정도 소명된 경우, ⓔ 혐의를 인정하고 반성하고 있는 경우, ⓕ 죄질이 상대적으로 가벼운 경우, ⓖ 전과 또는 동종전과가 없는 경우 등 여러 조건을 충족한 경우에 기소유예 결정이 나오는 경우가 많으나, 피의자의 범죄사실, 담당검사 등 여러 변수에 따라서 종합적으로 판단해볼 필요가 있습니다.

② [혐의없음] 검사는 피의사실이 범죄를 구성하지 않거나 인정되지 않는 경우에는 혐의없음(범죄인정안됨) 결정을 하고, 피의사실을 인정할 만한 충분한 증거가 없는 경우에는 혐의없음(증거불충분) 결정을 합니다. ③ [죄가 안됨] 검사는 피의사실이 구성요건 해당성은 인정되나, 위법성 · 책임을 조각하는 사유가 있어 범죄를 구성하지 않는 경우에는 죄가안됨 결정을 합니다.

검찰 단계에서 불기소 결정이 나면 공판절차가 진행되지 않으므로 별도로 법원에 출석할 필요가 없고, 실질적으로 사건이 종료된 것으로 봅니다. 한편 기소 결정의 경우 원칙적으로 공판절차가 진행되므로 아래 목차에 기재된 내용와 같이 법원에 출석하여 소위 '재판'을 받아야 하나, 검사가 약식명령을 청구하고, 법원이 약식명령을 발부한 경우에 이를 별도로 다투지 아니하는 경우(=정식재판 청구를 하지 아니하는 경우)에는 별도로 공판절차를 진행할 필요가 없습니다(아래에서 상술).

5. 법원의 공판

검사는 수사결과 범죄의 객관적 혐의가 충분하고 소송조건이 구비되어 유죄판결을 받을 수 있다고 인정할 때에는 공소를 제기한다는 점은 앞서 말씀드린 바와 같습니다. 여기에서 '공소'를 제기한다는 의미는 검사가 법원에 대해 특정한 형사사건의 심판을 구하는 (소송)행위를 말하고{이창현, 『형사소송법(제9판)』, 정독(2023), p.564}, 구체적인 방법으로는 공소장을 관할법원에 제출합니다(형사소송법 제254조 제1항). 즉 검사의 법원에 대한 공소장의 제출은 공판절차의 시작으로 볼 수 있습니다.

☞ 피의자와 피고인의 차이? - 피의자란 수사의 개시에서부터 공소제기 전까지의 개념으로 수사기관이 범죄의 혐의가 있다고 인정하여 수사의 대상으로 삼은 자를 지칭합니다. 피의자로 불린다 하

더라도 반드시 진범인 것은 아닙니다.- 피고인이란 수사종결 후 검사가 법원에 대하여 유죄판단을 묻기 위하여 공소를 제기한 자를 지칭합니다. 즉, 형사재판에 회부되어 법원의 판단의 대상이 되는 자가 피고인입니다{민경철, 『24시 성범죄 케어센터』, 박영사(2022), p.51}.

법원은 위와 같은 공소의 제기가 있는 때에는 지체없이 공소장의 부본을 1회 공판기일 전 5일까지 피고인 또는 변호인에게 송달하여야 합니다(형사소송법 제266조).

공소장을 송달받은 피고인의 입장에서 가장 먼저 해야 할 일은 자신의 사건 기록을 열람·등사신청하는 것입니다(형사소송법 제266조의3). 증거기록을 확보한 뒤 검토하여 공소장에 기재된 공소사실을 인정할지, 부인할지 여부를 결정하여야 합니다.

만약 공소사실을 모두 인정하는 경우에는 제1회 공판기일에 출석하여 재판장의 질문에 대하여 성실하게 답변하면 당일 절차가 종료될 수도 있습니다. 반면에 공소사실을 부인하는 경우에는 실무상 국선변호인이 선정되거나, 피고인이 사선변호인을 선임하여 대응하게 됩니다. 공소사실을 부인하는 경우에는 증거인부, 증거조사, 증인신문 등 다양하게 대처하여야 하므로 반드시 변호인을 선임하시기를 권유드립니다.

Ⅲ. 주요 성범죄 사건에 적용되는 기초 법리

1. 죄형법정주의란?

헌법 제12조 제1항은 "(...) 누구든지 법률에 의하지 아니하고는 체포·구속·압수·수색 또는 심문을 받지 아니하며, 법률과 적법한 절차에 의하지 아니하고는 처벌·보안처분 또는 강제노역을 받지 아니한다."라고 규정하고 있고, 형법 제1조 제1항은 "범죄의 성립과 처벌은 행위 시의 '법률'에 따른다."라고 규정하고 있습니다.

이를 반대해석하면 모든 형사처벌은 「법률」에 근거가 있어야 합니다. 여기에서 '법률'이란 국회가 제정한 형식적 의미의 법률을 의미하므로, (원칙적으로) 명령, 규칙 등 하위법령과 관습법에 의해

범죄와 형벌을 규정할 수는 없습니다{이주원, 『형법총론(제2판)』, 박영사(2023), p.11}. 위임입법의 예외적 허용에 관한 복잡한 논의가 있으나, 여기에서는 생략하고, 결론적으로 형사처벌은 원칙적으로 '법률'에 의해서만 이루어져야 한다는 점을 기억하시면 좋겠습니다.

2. 구성요건 이론

범죄는 구성요건에 해당하는 위법 · 유책한 행위입니다. 행위자의 행위가 구성요건해당성, 위법성, 책임을 모두 갖추면 '범죄'가 성립합니다{이주원, 『형법총론(제2판)』, 박영사(2023), p.68}. 위법성과 책임을 논하기에는 너무 방대하고 이론적인 논의가 등장하므로 어떤 행위가 있으면 위법성과 책임이 일단 인정된다고 전제하고, 범죄가 성립하기 위해서는 '구성요건 해당성'이 인정되어야 합니다. 여기에서 구성요건이란 범죄의 유형, 형법상 금지 · 명령된 행위를 추상적 · 일반적으로 규정한 개별적 범죄유형을 의미하고, 구성요건 해당성이란 어떤 행위가 특정한 불법구성요건의 모든 요소를 충족하는가에 대한 평가를 말합니다{이주원, 『형법총론(제2판)』, 박영사(2023), p.69}.

너무 어려운 논의이지요? 조문을 살펴보겠습니다. 예를들어 형법 제298조(강제추행)는 "폭행 또는 협박으로 사람에 대하여 추행을 한 자는 10년 이하의 징역 또는 1천500만원 이하의 벌금에 처한다."라고 규정하고 있으므로, ① 폭행 또는 협박으로 ② 사람에 대하여 ③ 추행을 하여야만 법률이 정한(죄형법정주의) 모든 구성요건을 충족(구성요건해당성)하는 것입니다. 즉 만약 폭행 또는 협박으로 사람이 아닌 거북이 또는 토끼에 대하여 추행을 한 경우에는 형법이 규정한 강제추행죄에 해당하지 않습니다(①, ③요건은 충족하였으나, ② 사람이라는 요건을 충족하지 못하였으므로).

마지막으로 한 개 더 예시를 보겠습니다. 성폭력범죄의 처벌 등에 관한 특례법 제13조(통신매체를 이용한 음란행위)는 "자기 또는 다른 사람의 성적 욕망을 유발하거나 만족시킬 목적으로 전화, 우편, 컴퓨터, 그 밖의 통신매체를 통하여 성적 수치심이나 혐오감을 일으키는 말, 음향, 글, 그림, 영상 또는 물건을 상대방에게 도달하게 한 사람은 2년 이하의 징역 또는 2천만원 이하의 벌금에 처한다."라고 규정하고 있습니다.

즉, 소위 통매음이 성립하기 위해서는 ① 자기 또는 다른 사람의 성적 욕망을 유발하거나 만족시킬 목적으로 ② 전화, 우편, 컴퓨터, 그 밖의 통신매체를 통하여 ③ 성적 수치심이나 혐오감을 일으키는 말, 음향, 글, 그림, 영상 또는 물건을 ④ 상대방에게 도달하게 하여야 합니다. 위 ① 내지 ④ 의 구성요건을 모두 충족하여야만 구성요건해당성이 인정되는 것입니다. 즉 만약 위 ① 내지 ③의 요건은 모두 충족하였는데, 방구석에서 혼자 인터넷이 연결되지 않은 컴퓨터를 활용하여 행하여 상대방에게 어떠한 '도달'이 없는 경우에는 구성요건 중 1개가 결여되었으므로 '구성요건해당성'이 인정되지 않습니다. 따라서 통매음에 해당하지 않습니다.

3. 고의범

한 가지 이론을 더 살피겠습니다. 형법 제13조는 "죄의 성립요소인 사실을 인식하지 못한 행위는 벌하지 아니한다. 다만, 법률에 특별한 규정이 있는 경우에는 예외로 한다."라고 규정하고 있습니다. 즉 형법은 원칙적으로 「고의범」만 처벌하고, 「과실범」은 법률에 특별한 규정이 있는 경우에 예외적으로 처벌한다고 규정하고 있습니다{이주원, 『형법총론(제2판)』, 박영사(2023), p.89}. 여기에서 고의는 구성요건에 대한 '인식'이 있으면 된다는 견해와 구성요건을 실현하려는 '의사'가 있어야 한다는 견해가 나뉘었으나, 판례는 결과 발생에 대한 인식이 있음을 물론, 나아가 이러한 결과 발생을 용인하는 내심의 의사가 있어야 한다(대법원 1985. 6. 25. 선고 85도660 판결)라고 판시하여, 미필적 고의는 '고의'의 범위에 포함시켰습니다.

즉 쉽게 말해서 법에서 '과실'을 처벌한다고 규정하지 않는 경우에는 '고의'로, 즉 결과 발생을 인식하고, 용인하는 의사가 있는 상태로 범죄를 행한 경우에만 처벌합니다(형법 제13조의 반대해석). 이를 다른말로 주관적 구성요건[3]이라고 표현합니다.

3) 주관적 구성요건의 범위에 대한 복잡한 논의가 있으나 여기서는 생

결론적으로 이를 아주 쉬운 말로 표현하면 실수를 처벌하는 규정이 없는 경우에는 의도적으로 행한 경우에 한하여 처벌한다 정도로 요약할 수 있습니다. 예를 들어서 어떤 남성이 길을 가다가 돌 뿌리에 걸려 넘어져서 손을 휘적이는 와중에 앞에 있던 여성의 가슴에 손이 닿은 경우, 이는 신체에 대한 유형력의 행사인바 폭행이 인정되고, 가슴에 손이 닿은바 이는 '추행'이 인정되므로 (객관적) 구성요건 해당성이 인정되나, 위 남성은 고의로 범행을 하지 아니한바 주관적 구성요건 해당성이 결여되어(=고의가 인정되지 않아) 범죄가 성립하지 않습니다.

4. 증거와 증명책임, 의심스러울 때는 피고인에게 유리하게

형사소송에 있어서 (...) 입증책임은 검사에게 있고 증거가 없거나 불충분하여 의심스러운 경우에는 피고인의 이익으로 판단하여야 합니다(대법원 1984. 6. 12. 선고 84도796 판결). 따라서 검사가 재판에서 피고인의 유죄를 증명할 증거를 제출하지 못한다면, 법관은 피고인에게 유죄를 선고할 수 없습니다.

최근 화제가 된 대법원 2024. 1. 4. 선고 2023도13081 판결 역시 위와 같은 증명책임 법리를 확인하였습니다. "성범죄 사건을 심리할 때에는 사건이 발생한 맥락에서 성차별 문제를 이해하고 양성

략합니다.

평등을 실현할 수 있도록 '성인지적 관점'을 유지하여야 하므로, 개별적·구체적 사건에서 성범죄 피해자가 처하여 있는 특별한 사정을 충분히 고려하지 않은 채 피해자 진술의 증명력을 가볍게 배척하는 것은 정의와 형평의 이념에 입각하여 논리와 경험의 법칙에 따른 증거판단이라고 볼 수 없지만, 이는 성범죄 피해자 진술의 증명력을 제한 없이 인정하여야 한다거나 그에 따라 해당 공소사실을 무조건 유죄로 판단해야 한다는 의미는 아니다.

① 성범죄 피해자 진술에 대하여 성인지적 관점을 유지하여 보더라도, 진술 내용 자체의 합리성·타당성뿐만 아니라 객관적 정황, 다른 경험칙 등에 비추어 증명력을 인정할 수 없는 경우가 있을 수 있다.

② 또한 피고인은 물론 피해자도 하나의 객관적 사실 중 서로 다른 측면에서 자신이 경험한 부분에 한정하여 진술하게 되고, 여기에는 자신의 주관적 평가나 의견까지 어느 정도 포함될 수밖에 없으므로, 하나의 객관적 사실에 대하여 피고인과 피해자 모두 자신이 직접 경험한 사실만을 진술하더라도 그 내용이 일치하지 않을 가능성이 항시 존재한다. 즉, 피고인이 일관되게 공소사실 자체를 부인하는 상황에서 공소사실을 인정할 직접적 증거가 없거나, 피고인이 공소사실의 객관적 행위를 한 사실은 인정하면서도 고의와 같은 주관적 구성요건만을 부인하는 경우 등과 같이 사실상 피해자의 진술만이 유죄의 증거가 되는 경우에는, 피해자 진술의 신빙성을

인정하더라도 피고인의 주장은 물론 피고인이 제출한 증거, 피해자 진술 내용의 합리성·타당성, 객관적 정황과 다양한 경험칙 등에 비추어 피해자의 진술만으로 피고인의 주장을 배척하기에 충분할 정도에 이르지 않아 법관으로 하여금 합리적인 의심을 할 여지가 없을 정도로 공소사실이 진실한 것이라는 확신을 가질 수 없게 되었다면, 피고인의 이익으로 판단해야 한다.

5. 소결

어려운 내용을 읽느라 대단히 고생 많으셨습니다. 앞서 말씀드린 이론은 아래에서 말씀드릴 개별 범죄가 성립하는지 여부를 판단하고, 판결을 이해하는데 있어 필요 최소한 부분만을 기재하였습니다. 이 부분까지 읽으신 독자라면 아래 본론도 쉽게 이해하시리라 생각합니다.

Ⅳ. 강간의 죄

1. 강간

가. 법리

형법 제297조는 "① 폭행 또는 협박으로 ② 사람을 ③ 강간한 자는 3년 이상의 유기징역에 처한다."라고 규정하고 있습니다. 주체(Subject)에 대하여는 법이 규정하고 있지 않으므로, 남성에 한정되지 않고 여성 · 성전환자 등도 모두 본죄의 주체가 될 수 있습니다.

① 한편 폭행이란 사람의 신체에 대한 유형력의 행사 등 일제의 불법적인 공격을 말하고, 협박은 일반적으로 보아 사람으로 하여금

공포심을 일으킬 수 있을 정도의 해악을 고지하는 것을 말합니다 {편집대표 김대휘 · 김신, 「주석 형법 각칙(제4권)」, 한국사법행정학회(2017), p.221}. 대법원은 위와 같은 폭행 · 협박이 어느 정도에 이르러야 하는지에 관하여 "강간죄가 성립하려면 폭행 · 협박이 피해자의 항거를 불가능하게 하거나 현저히 곤란하게 할 정도의 것이어야 한다(대법원 2015. 9. 24. 선고 2015도10843 판결)."라고 판시한바 있습니다. 즉 폭행 · 협박이 피해자의 항거를 불가능하게 할 정도에 이르지 않고(and) 현저히 곤란하게 할 정도에 이르지 않는 경우에는 강간죄가 성립하지 않습니다(위 대법원 판례의 반대해석).

② 폭행 · 협박으로 '사람'을 강간하여야 합니다. 여기에서 사람이란 부녀(婦女)에 한정되지 않고, 성전환자, 부부 등 모두 위 규정의 '사람'에 해당합니다. 한편 피해자가 13세 미만인 경우, 강간죄의 '사람'에는 당연히 포함되어야 할 것이나{통설, 조문에 나이를 제한하지 아니하였으므로(사견)}, (형이 더 무거우므로) 성폭력범죄의 처벌 등에 관한 특례법 제7조 제1항이 적용될 것입니다.

③ 폭행 · 협박으로 사람을 '강간'하여야 합니다. 여기에서 강간이란 "폭행 · 협박에 의하여 상대방의 반항을 불가능하게 하거나 현저히 곤란하게 하여 그 사람을 간음하는 것을 말하며, 여기에서 '간음'은 남자 성기와 여자 성기의 상호 삽입을 말합니다{편집대표 : 김대휘 · 김신, 『주석 형법각칙(제4권)』, 한국사법행정학회(2017), p.226}."

나. 무죄 판결 연구

[○○○○법원 2016. X. X. 선고 2016고합XX 판결]

[공소사실의 요지]

① 피고인은 2013. 8.경 OO시 OO구 OO 모텔 OO호실에서 피해자 L(여, 15세)를 침대 위에 강제로 눕히고, 몸으로 눌러 피해자의 반항을 억압한 다음, 피해자의 옷을 강제로 벗기고 피해자의 음부에 자신의 성기를 삽입하여 피해자를 강간함.

② 피고인은 2013. 8.경 OO시 OO구 OO 건물 OO호에서 위 피해자를 강제로 눕히고 몸으로 눌러 피해자의 반항을 억압한 다음 피해자의 옷을 강제로 벗기고 피해자의 음부에 자신의 성기를 삽입하여 피해자를 강간함.

[판단]

피고인은 경찰에서부터 이 법정에 이르기까지 일관하여 피해자를 위 각 공소사실과 같이 강간한 적이 없다고 주장하며 위 각 공소사실을 **부인**한다. (...) L의 법정진술과 검사가 제출한 각 증거를 종합하여 인정할 수 있는 다음과 같은 사정에 비추어 보면, 앞서 본 **L의 수사기관 및 법정에서의 각 진술은 신빙성이 떨어져** 이를 그대로 믿기 어렵다.

① L는 이 법정에 증인으로 출석하여 (...) 피고인의 구체적인 행동이 전혀 기억이 나지 않는다'라는 취지로 진술하고, 이에 대하여 자신이 어떤 반응을 보였는지도 기억나지 않는다고 진술하고, (...) **'피고인이 옷을 어떻게 벗겼는지, 이에 대해 L가 어떤 자세에서 어떻게 발버둥치고 피고인을 어떻게 때렸는지 기억나지 않는다'라는 취지로 진술**하였다. (...) L가 이 법정에 증인으로 출석하여 진술한 시기가 이 사건 각 강간이 발생한 시점으로부터 약 2년 8개월이 경과하였다는 점과 범행으로 받은 충격을 감안하더라도, 한편으로 L가 이 법정에서 이 사건 각 강간보다 더 오래 전에 있었던 일인 L가 피고인을 알게 된 장소와 당시에 그 자리에 있었던 사람, 성매매를 시작하게 된 경위 등을 정확히 기억하여 진술한 점, 강간 피해는 피해자에게 충격적이고 이례적인 일이었을 것으로 보이는 점 등을 고려할 때, 위와 같이 L가 술이나 약물 등의 영향이 없는 상황에서 피해를 당한 이 사건 각 강간 당시의 피고인과 L의 구체적인 행동이 기억나지 않는다고 진술하는 것은 쉽게 이해할 수 없다.

② **L는 경찰, 검찰에서** '피고인이 (...) 방의 침대에 누워 잠든 것처럼 있어서 L가 밖으로 나가려 하자 피고인이 팔을 잡아당겼고, L가 이를 뿌리치고 화장실로 도망가서 숨었다'라는 취지로 진술하였으나, **대검찰청에서 진행된 진술분석을 위한 면담에서**는 아래에서 보는 바와 같이 (...) 'L가 방에 들어가자마자 화장실에 들어갔다'라는 취지로 **달리 진술**하였고, 대검찰청에서 진행된 진술분석을 위한 면담에서 '이 사건 각 강간이 끝난 후 피고인은 L에게 아무런 말을

하지 않았고, 신고하지 말라는 취지의 말도 하지 않았다'라는 취지로 진술하였으나, 이 사건 법정에서는 '피고인이 이 사건 각 강간 직후 L에게 다른 사람에게 말하지 말라는 취지의 말을 하였다'라는 취지로 <u>**상반되는 진술**</u>을 하였다.

또 L는 이 사건 K모텔 강간과 관련하여, 대검찰청에서 진행된 진술분석을 위한 면담에서 'L가 이 사건 원룸 강간에서와 달리 이 사건 K모텔 강간에서는 소리를 지르지 않았다'라는 취지로 진술하고, 수사기관에서 피고인이 L의 입을 손으로 막았다는 취지의 진술을 하지 않았는데, 이 법정에서는 '소리를 지르려고 했는데 피고인이 L의 입을 손으로 막았다'라는 취지로 상반되는 진술을 하였고, 이 사건 원룸 강간과 관련하여서도 검찰에서 진행된 전화조사에서 'L가 원룸 방안 여기저기를 도망쳤는데, 피고인이 L를 잡아서 의자에 앉는 것처럼 침대에 앉힌 다음 무릎으로 L의 허벅지를 누른 후 옷을 벗겼다'라는 취지로 진술하였으나, 대검찰청에서 진행된 진술분석을 위한 면담에서와 이 법정에 증인으로 출석하여서는 이와 달리 '누워서 자는 척하니까 피고인이 L의 몸을 더듬었고, 이에 L가 "뭐 하는 거냐, 하지 마라"라고 말하고 다시 자려고 했는데 피고인이 L를 번쩍 들어 침대에 던졌다'라는 취지로 진술하였다. 이와 같이 <u>**L의 이 사건 각 강간의 경위와 전후 사정에 관한 진술은 구체적인 부분에서 일관성이 없는 부분**</u>이 있다.

③ L는 2014. 7. 7. 진행된 경찰에서의 2회 조사 때에는 이 사건

K모텔 강간에 대해 '피고인이 2013. 8. 셋째 주가 시작할 때 새벽 2시경 K모텔 3층에서 L의 팔을 잡고 옷을 벗겨서 힘으로 강간하였다'라는 취지로 진술하고, 이 사건 원룸 강간에 대해 '피고인이 2013. 8. 말경 새벽 2~3시경 M 근처 원룸 101호에서 L의 옷을 강제로 벗기고 힘으로 강간하였다'라는 취지로 진술하여 이 사건 각 강간이 발생한 일시를 특정하지 못하고, 이 사건 각 강간 당시 피고인의 행동에 관하여 매우 추상적으로만 진술하였다. 그러나 L는 2014. 7. 17. 진행된 검찰 1회 조사와 2014. 7. 22. 진행된 피고인과 L에 대한 검찰 조사 때에는 이 사건 K모텔 강간에 대해 '피고인이 2013. 8. 13. 새벽 2시경 K모텔 3층에서 L를 강제로 힘으로 누르고 강간하였다. 반항을 했는데도 힘으로 당할 수 없었다'라는 취지로 진술하고, 이 사건 원룸 강간에 대해 '피고인이 2013. 8. 28. 새벽 2~3시경 M 원룸 101호에서 현관문을 잠그고 창문을 닫은 다음 L를 힘으로 찍어 누르고 강간하였다'라는 취지로 진술하여 이 사건 각 강간의 일시를 정확히 특정하였는데 위 각 진술시점에 비추어 **시간의 경과 후 일시에 관한 기억이 더욱 생생해진 것은 이례적인 것으로 보인다. 그러나 이와 같이 범행시점을 특정한 위 각 검찰진술에서도 이 사건 각 강간 당시 피고인의 행동에 관하여는 여전히 추상적으로 진술**하였다. 또 L는 그 후 2014. 7. 28. 진행된 검사의 전화조사에서 이 사건 K모텔 강간에 대해 '피고인이 2013. 8. 13. 새벽 2시경 K모텔 3층에서 힘을 엄청 많이 주면서 L를 침대에 눕히고 한쪽 다리로 L의 다리를 누르고 양팔로 L의 양팔을 누른 상태로 성기를 삽입하여 강간하였다'라는 취지로 진술하

고, 이 사건 원룸 강간에 대해 '피고인이 2013. 8. 28. 새벽 2~3시 경 M 원룸 101호에서 방안 여기저기로 도망치는 L를 잡아서 의자에 앉는 것처럼 침대에 앉힌 다음 무릎으로 L의 허벅지를 누른 다음 옷을 벗기고 강간하였다. 당시 L는 발버둥치고 소리를 질렀다'라는 취지로 진술하여 이 사건 각 강간 당시 피고인과 L의 행동에 관하여 좀더 상세하게 진술하고, 나아가 2014. 11. 13.과 같은 달 14. 대검찰청에서 진행된 진술분석을 위한 면담에서는 이 사건 각 강간 전후의 피고인과 L의 행동, 이 사건 각 강간 당시 피고인이 L의 티셔츠, 바지, 속옷을 각 벗긴 방법, 이 사건 각 강간 당시 피고인이 L에게 하였던 행동, 이에 대해 L이 피고인에 대해 하였던 저항 방법 등에 관하여 마치 최근에 경험한 일처럼 자세하게 진술하기에 이르렀다. 그런데 이 법정에 증인으로 출석하여서는 다시 이 사건 각 강간에서의 피고인과 L의 구체적인 행동이 기억나지 않는다고 진술하였다. 이와 같이 L가 이 사건 각 강간으로부터 11개월이 지난 시점에서 이 사건 각 강간의 일시를 정확하게 특정하면서도 이 사건 각 강간 당시 피고인의 행동에 대하여는 추상적으로만 진술한 점, L가 이 사건 각 강간이 발생한 때로부터 약 1년 4개월이 지난 시점에서 갑자기 이전의 진술과 달리 이 사건 각 강간에 대해 매우 상세하게 진술하다가 범행시점으로부터 2년 8개월 정도 경과하여 진행된 이 법정에서의 증언에서는 다시 위와 같은 구체적인 진술과 달리 이 사건 각 강간 당시 피고인과 L의 행동이 기억나지 않는다고 진술한 점 등에 비추어 보면, **L의 진술은 결국 전체적으로 그 신빙성에 의심의 여지가 있다.**

④ L는 이 사건 각 강간 피해를 입은 이후 주변 사람 누구에게도 그 피해에 대하여 이야기하거나 신고하지 않았다.

⑤ L와 L의 어머니는 L의 임신 사실을 알면서도 경찰에서의 1회 조사 당시 '피고인으로부터 어떤 피해를 당하였나요'라는 취지의 질문에 대해 '피고인으로부터 성매매를 강요당하여 모르는 남자들과 성관계를 한 후 돈을 받아 피고인에게 주었다. L가 성매매로 다른 남자들과 성관계를 하게 되어 임신을 하게 되었다'라는 취지의 답변을 하였을 뿐이고, 이 사건 각 강간피해에 관하여는 전혀 진술하지 않았다. (...)

라. 따라서 L의 수사기관 및 법정에서의 각 진술은 신빙성이 떨어져 이를 그대로 믿기 어렵고, 그 밖에 위 각 공소사실을 인정할 만한 증거가 없으므로, 위 각 공소사실은 범죄의 증명이 없는 때에 해당하여 형사소송법 제325조 후단에 따라 피고인에 대하여 각 무죄를 선고한다.

[촌평]

피해자의 진술이 일관되면 다른 객관적 증거가 없더라도 유죄 인정이 가능합니다. 이는 다른 한편으로는 객관적 증거가 없으면 피해자 진술의 일관성을 깨기만 하면 무죄 선고가 가능하다는 것으로도 이해할 수 있습니다. 위 판결은 피해자 진술의 일관성이 부정되어 무죄가 선고된 사례입니다.

[OOOO법원 2017. X. X. 선고 2016고합XX 판결]

[공소사실 요지]

피고인은 2013. 8. 17. 23:00경 빌린 돈을 갚겠다는 명목으로 피해자 C(여, 49세)을 불러내어 액티온스포츠 차량에 태운 후 의왕시 D에 있는 E로 운전하여 가 한적한 장소에 차를 세웠다. 그곳에서 피고인은 피해자를 간음할 마음을 먹고 차량 문을 잠근 후 피해자가 앉아 있는 조수석으로 넘어가 피해자의 남방을 젖히고 브래지어를 올려 입으로 가슴을 빨고, 반항하는 피해자를 제압하여 바지와 속옷을 벗긴 다음 피해자의 음부에 성기를 삽입하여 강간하였다.

[피고인의 변소]

피고인은 공소사실 기재 일시 장소에서 피해자를 강간한 사실이 없다.

[판단]

이 사건 공소사실에 부합하는 직접 증거로 피해자의 진술이 있는데, 그 진술은 아래와 같은 이유로 합리적인 의심을 배제할 만한 신빙성을 인정하기 어렵다.

피고인은 2015. 5.경 피해자가 차용금을 변제하지 않는다는 이유로 피해자 소유 아파트를 가압류하고 2015. 10.경 피해자를 사기로 고소하였는데, 이후 피해자가 피고인을 강간 및 무고로 고소하였다(수사기록 제169, 664쪽). 피고인과 피해자 사이에 금전문제가 있었고, 피해자가 피고인의 고소 직후에 수사기관에 이 사건 공소사실과 같이 피고인으로부터 약 2년 전에 강간을 당하였다고 고소장을 제출한 점 등을 고려하면, 피해자가 피고인에 대한 악감정을 가지고 **피고인의 언동과 폭행·협박의 정도 등 당시의 정황을 과장하거나 왜곡하여 진술할 가능성이나 동기**가 충분히 있다.

피해자는 '자신이 이 사건 범행 직후 귀가하여 딸 F에게 피고인으로부터 강간을 당한 사실을 모두 말하였고, 딸로부터 경찰에 신고하자는 이야기를 들었다'라고 진술하나, 이 사건 발생일 일주일 뒤인 2013. 8. 25. 딸과 함께 G식당에서 피고인을 만나 점심을 먹은 사실을 인정하고 있고, 이는 피고인의 하나은행 체크카드 사용내역(증 제7호증)에 의하여도 확인되고 있는데, 이는 경험칙상 강간 범행을 당한 여자의 행동으로 받아들이기 어렵다. 그 외에도 피해자와 피해자의 딸 F의 각 진술에 의하면, **피해자는 이 사건 이후 피고인과 함께 놀이공원, 미술관 등에 갔고, 딸을 데리고 나가 피고인을 만난 적이 있으며, 딸 및 피고인과 함께 영화를 본 적도 있다. 또 피고인은 2013. 12.경 피해자의 딸 F에게 아이폰을 선물하고, 2014. 7.경까지 그 요금을 납부하여 주었다(수사기록 제327쪽, F의 법정진술). 이러한 이 사건 이후의 사정은 피고인과 피해자가 강간 범행의 가해자와 피해자인지를 의심**하게 한다. (...) 사람이 목격하거나 경험한 사실에 대한 기억은 시일의 경과에 따라 흐려질 수는 있을지언정 오히려 처음보다 명료해 진다는 것은 이례에 속하는 일인데, 위와 같이 **피해자는 피고인이 범행 직후 수사기관에 신고를 하지 못하게 하려고 한 협박 내용, 피고인이 범행 직전에 한 말, 피해자가 범행 당시 피고인에게 저항하면서 한 행동 등에 관하여 경찰에서보다 검찰과 이 법정에서 더욱 명료하거나 상세하게 진술**하고 있다.

(...) 피해자는 피고인으로부터 이 사건 공소사실 기재 일시경, 2014. 2. 8. 및 2014. 3. 30. 3회에 걸쳐 강간을 당하였다는 내용 등으로 고소장을 제출하였으나, 수원지방검찰청 안양지청 검사는 2016. 10. 12. 피고인의 2014. 2. 8.자 강간 피의 사실과 2014. 3. 30.자 강간 피의사실에 대하여 ① 피해자가 두 차례나 모텔 안까지 아무런 저항 없이 들어간 점, ② 피해자가 2014. 4.경 산부인과 진료를 받은 과정에서 성폭행을 당하였다는 진술을 하거나 그와 관련된 진료를 받은 사실이 없는 점, ③ 피해자는 피고인으로부터 성폭행을 당하였다는 시점 이후로도 피고인과 영화관을 가거나 피해자의 딸을 데리고 나가 피고인을 만난 점, ④ 피해자는 피고인으로부터 성폭행을 당한 직후 수사기관에 피해 사실을 신고하지 않다가, 피고인으로부터 사기죄로 고소를 당한 이후에서야 피고인을 강간죄 등으로 고소한 점, ⑤ 피해자로부터 피고인을 소개받은 H은 위 일시경 피고인과 피해자가 남녀로서 서로 좋은 감정이 있었던 것으로 보였다고 진술한 점 등을 이유로 혐의 없음의 불기소 결정을 하였다(증 제5호증).

검사가 피고인에 대한 불기소 이유에서 적시한 바와 같이 피해자가 피고인을 따라 피해 장소까지 간 경위, 피해 일시 이후의 피고인과 피해자 사이의 관계나 태도 등을 고려하면, 2014. 2. 8.자 강간 피해 주장 및 2014. 3. 30.자 강간 피해 주장에 부합하는 피해자 진술은 신빙성이 결여될 뿐만 아니라, 위 1) 항과 같은 이유로 허위로 꾸며낸 것일 가능성까지 배제할 수 없다고 판단된다. 따라서 이 사건 공소사실에 부합하는 피해자의 진술만이 유독 진실할 것이라고 쉽게 단정할 수 없는데다가, 아래에서 보는 바와 같이 이 부분 피해자의 진술만은 신뢰할 수 있는 확실한 근거가 제시되었다고 보기도 어렵다.

5) 피해자는 피고인과 이 사건 당시 만나게 된 경위에 대하여 이 법정에서 '자신이 이 사건 당시 피고인에게 약 1,000만 원 가량 받을 돈이 있었는데, 이를 받기 위하여 어쩔 수 없이 피고인을 만났다가 강간을 당하였고, 그 이후에도 계속 피고인에게 이자 약정도 없이 3,000만 원 내지 4,000만 원 가량을 빌려주었다'는 취지로 진술하고 있다. 그런데 피고인은 이 사건 이후 피해자로부터 H을 소개받아 식사를 함께 한 사실이 있고, 2013. 11. 13.경 H이 피해자에게 부담하는 채무 1,000만 원을 피해자에게 대신 갚은 사실이 인정된다(수사기록 제663쪽, H의 법정진술, 증 제7호증).

이러한 사실에 비추어 보면, 피해자에게 갚을 돈이 있는 피고인이

H의 피해자에 대한 채무 1,000만 원을 대신 갚아야 하는 이유를 합리적으로 설명하기 어려워, 이 사건 당시 피고인에게 1,000만 원 가량 받을 돈이 있다는 피해자의 진술은 믿기 어렵고, 피고인으로부터 돈을 받기 위하여 억지로 만났다가 3회에 걸쳐 강간을 당하고 그 이후에도 피고인에게 계속하여 돈을 빌려주었다는 피해자의 진술도 선뜻 이해가 되지 않는다. 오히려 피고인의 기업은행 체크카드 사용내역 등(증 제8호증, 수사기록 제670쪽)에 비추어 보면, 2013. 8. 17. 피해자를 만나 영화를 보고 저녁을 먹은 후 E로 드라이브를 갔다는 피고인의 주장이 보다 설득력을 가진다.

다. 피해자로부터 공소사실 기재와 같은 내용의 피해 사실을 들었다는 내용의 피해자의 딸 F과 I의 각 법정진술, 그 진술을 기재한 각 경찰 진술조서의 각 진술기재 및 I이 작성한 자필 메모의 기재는 F, I이 피해자로부터 들은 것을 진술하거나 그와 같은 내용이 기재된 것에 불과하여 이 사건 공소사실을 입증할 직접증거로서는 증거능력이 없다.

라. F이 경찰 및 이 법정에서 한, '자신이 이 사건 당시 집에서 피해자의 휴대전화로 걸려온 전화를 받았다. 전화를 받았는데, 피해자가 비명을 지르고 남자 목소리가 났으며, 싸우는 소리가 나더니 전화가 끊어졌다. 자신이 다시 피해자의 휴대전화로 전화를 걸었으나, 피해자가 계속 전화를 받지 않았다. 불안한 마음에 112와 119에 신고를 했다. 피해자가 새벽 즈음에 집으로 돌아왔고, 자신에게

강간 범행을 당하였다고 말하였다'라는 취지의 진술은 이 사건 공소사실에 부합하기는 한다(수사기록 제264쪽). 그리고 F이 이 사건 당시 어머니인 피해자와 휴대전화로 연락이 되지 않자 경찰과 소방서에 피해자와 연락이 되지 않으니 피해자에 대한 위치추적을 하여 달라는 취지로 신고한 사실은 인정된다.

그러나 피해자가 이 사건 당시 F의 전화를 계속 받지 않은 것이 진실일 가능성과 별개로 '피해자의 휴대전화로 걸려온 전화로 피해자의 비명과 남자 목소리 및 싸우는 소리를 들었다', '집으로 돌아온 피해자로부터 강간 범행을 당했다는 이야기를 들었다'라는 F 진술 부분의 신빙성은 별개로 따져 보아야 한다.

특히 F의 진술에 의하면, F은 이 사건 이후 피해자 또는 친구와 함께 피고인을 만나거나 피고인과 같이 영화를 본 적이 있고, 피고인으로부터 휴대폰을 선물 받았으며, 피고인이 F의 휴대폰 요금을 대신 납부하여 주기도 하였다는 것이다(F의 법정진술).

이는 경험칙상 강간 범행을 당한 피해자의 딸로서 보이기 힘든 행동으로 보여서(더욱이 F은 변호인의 반대신문에 대하여 대부분 모른다는 취지로 일관하여 답변하였으나, F이 비교적 자주 피고인과 만나거나, 피고인으로부터 용돈 등을 받아서 사용하였을 가능성을 배제할 수 없다), '피해자의 휴대전화로 걸려온 전화로 피해자의 비명과 남자 목소리 및 싸우는 소리를 들었다', '집으로 돌아온 피해자로부터 강간 범행을 당했다는 이야기를 들었다'라는 F 진술 부분의 신빙성 인정에 장애가 되는 사정이고, 이러한 의문을 해소하거나 F 위 진술 부분의 신빙성을 뒷받침할만한 다른 사정들은 찾아 보기 어렵다.

마. I은 2015. 12. 10. 경찰에서 조사를 받으면서, '자신이 2013. 8. 9. 피해자로부터 그 전날 있었던 강간 피해 사실을 들었다. 피해자가 위와 같이 말한 날이 제가 집안에 행사가 있어 지방에 갔다 올라왔던 날이라서 정확히 기억한다'라는 취지로 진술하였다(수사기록 제250, 253, 254쪽).

① <u>사람이 약 2년 전에 있었던 사건의 일자까지 정확히 기억한다는 것은 이례적</u>임에도, I은 경찰에서 피해자로부터 이 사건 강간 피해 사실을 들은 날짜를 2013. 8. 9.로 정확하게 진술한 점, ② I은 경찰에서 피해자로부터 강간 피해 사실을 들은 날짜를 정확하게 기억하는 이유까지 진술하였으나, 정작 이 사건 피해 일자는 피해자의 딸이 작성한 다이어리의 기재를 근거로 2013. 8. 17.로 특정된 점, ③ I은 이 법정에서 '자신이 피해자로부터 이 사건 강간 피해 사실을 들은 날짜를 정확하게 기억하는 것은, 그 무렵 지방인 거창 시댁에 다녀왔기 때문이다'라고 진술하였으나, 거창으로 내려간 사유에 대하여는 구체적인 답변을 회피한 점 등을 종합하면, I이 자신의 기억을 토대로 하여 진술하고 있는지 의심이 들어서, 이 사건 공소사실 기재 일자 무렵인 2013. 8.경 피해자로부터 강간 범행 피

해 사실을 들었다는 I 진술의 신빙성은 그다지 높지 않다고 판단된다.

바. 따라서 검사가 제출한 증거들만으로는 이 사건 공소사실이 합리적 의심을 배제할 정도로 충분히 증명되었다고 보기에 부족하고, 달리 이를 인정할 증거가 없다.

[결론]

그렇다면 이 사건 공소사실은 범죄의 증명이 없는 경우에 해당하므로 형사소송법 제325조 후단에 의하여 피고인에게 무죄를 선고하고, 형법 제58조 제2항에 의하여 피고인에 대한 판결 요지를 공시하기로 하여 주문과 같이 판결한다.

[촌평]

위 판결 역시 피해자 진술의 일관성이 부정되는 등 **진술의 신빙성이 부정되어 무죄가 선고**된 사례입니다. 다른 객관적 증거가 없을 경우 유능한 변호사를 선임하여 피해자 진술의 모순점을 찾아내거나 그 일관성을 깨는 것에 집중하셔야 무죄선고를 받을 수 있습니다.

[OOOO법원 2015. X. X. 선고 2014고합XX 판결]

[공소사실의 요지]

피고인은 대전 서구 D에 있는 'E노래방'을 운영하는 사람이고,

피해자 F(여, 31세)은 위 노래방에서 종업원으로 근무한 사람이다.

피고인은 2014. 1. 중순 07:00경 위 노래방 1번방에서 일을 마치고 귀가하려는 피해자를 뒤에서 끌어안아 소파에 넘어뜨리고 저항하는 피해자의 몸 위에 올라타 피해자의 반항을 억압한 후 피해자의 옷을 강제로 벗기고 피해자의 성기에 자신의 성기를 삽입하여 피해자를 강간하였다.

피고인은 2014. 2. 21. 03:00경 위 노래방 1번방에서 피해자에게 키스를 시도하였으나 피해자가 거부하면서 도망가자 피해자를 붙잡아 소파에 밀어 넘어뜨리고, 피해자의 하의를 강제로 벗긴 후 피해자의 몸 위에 올라타 반항을 억압하고 욕설을 하면서 피해자의 성기에 자신의 성기를 삽입하여 피해자를 강간하였다.

[판단]

[공소사실 가.항 기재 범행에 관하여]

1) 피고인이 2014. 1. 중순 피해자를 강간하였다는 이 부분 공소사실에 부합하는 증거로는 피해자와 G의 수사기관 및 이 법정에서의 각 진술이 있는데, G의 수사기관 및 이 법정에서의 각 진술은 피해자로부터 피해사실을 전해들은 것에 불과하므로, 결국 피고인이 위 일시경 피해자를 강간하였다는 점을 입증할 수 있는 직접적인 증거는 피해자의 수사기관 및 이 법정에서의 각 진술이다.

2) 피해자의 수사기관 및 이 법정에서의 각 진술에 의하면, 피해

자는 이 부분 피해 당시의 상황에 관하여 '피고인이 피해자를 뒤에서 끌어안아 하지 말라고 했는데 피해자를 밀어 붙여 소파에 눕히고 팔로 피해자의 몸을 누른 후 피해자의 하의를 벗기고 강제로 성기를 삽입하였다'는 취지로 진술하고 있어 이에 의하면, 피고인이 이 부분 공소사실과 같이 피해자를 강간하였을 것이라는 의심이 들기도 한다. 그러나 다른 한편으로, 기록에 비추어 보면, 피고인으로부터 강간을 당하였다는 피해자의 진술을 그대로 신빙하기 어려운 다음과 같은 사정이 있다.

가) 이 사건 당시의 상황에 관하여, 피해자는 수사기관 및 이 법정에서 '노래방 영업이 끝난 후 07:00경 미용학원에 가려다가 시간이 남아 노래를 부르려고 피고인이 있던 노래방 1번방으로 갔다. 노래를 부르던 중 피고인이 피해자를 뒤에서 끌어안아 소파 쪽으로 밀어 붙였고, 피해자가 소파 쪽에서 발이 걸려서 넘어지면서 피고인이 함께 소파 위로 넘어졌다. 피고인이 피해자의 몸 위로 올라와 피해자를 누르고 피고인 스스로 옷을 벗고 피해자의 옷까지 벗긴 후 성기삽입을 했다'고 진술하였고, 당시 상황을 모면하기 위해 취한 행동을 묻는 질문에는 '나름대로 힘을 써 보았는데 이겨내지 못했다'고 진술하였는바, **피고인이 행사한 유형력의 방법이나 피해자의 저항방법에 관한 진술이 다소 모호하고 구체적이지 못하다.**

나) **피해자는 이 사건 이후 경찰에 신고하는 등의 조치도 취하지 않은 채 피고인이 운영하는 노래방에 계속 출근**하였고, **노래방에**

손님이 없을 때 피고인과 함께 이불을 덮고 텔레비전을 보며 휴식을 취하기도 하였으며, 영업이 끝난 후 피고인의 차를 타고 귀가하기도 하였는데, 이는 강간을 당한 피해자의 태도로서는 매우 이례적이다.

다) 또한 피해자는 이 사건 이후 피해자의 생일인 H에 피고인으로부터 꽃다발을 선물 받아 이를 사진으로 찍어 자신의 카카오톡 배경화면으로 사용하기도 하였는데, 강간을 당한 피해자가 가해자로부터 생일선물로 꽃을 거절하지 않고 받고 그와 같이 받은 꽃을 사진으로 찍어 다른 사람들에게 공개된 카카오톡 배경화면으로 사용한다는 것도 매우 이례적이다.

라) 피고인의 지인으로서 식당을 운영하는 I은 이 법정에서 '피고인으로부터 2014. 1. 중순경 피해자를 소개받은 것을 포함하여 피해자를 세 차례 만났다. 두 번째 만남은 구정(2014년 구정은 2014. 1. 31.이다) 직전으로 당시 피고인과 피해자가 자신의 가게로 찾아와 좋은 분위기에서 술을 먹으면서 이야기를 나누었다. 세 번째 만남은 2014. 1. 말경에서 2. 초순경 사이로 새벽 5시경 J 앞에 있는 K 가게에서 식사를 하고 있던 중 피해자가 자신의 차에 피고인과 G을 태우고 위 가게로 와 만나게 되었다. 그 후 피고인의 친구로부터 피고인과 피해자가 잠자리를 같이 했다는 이야기를 들어 피해자에게 전화하여 "A랑 사귄다며, A네 집에 가서 술을 한잔 먹자"고 이야기 하였는데 피해자가 "애기 유치원 보내야 되니까 다음에 먹

자"고 하였을 뿐 피고인과 사귄다는 말에 부인하지 않았다'고 진술하였는바, 피해자의 위와 같은 행동들도 피해자가 과연 2014. 1. 중순 피고인으로부터 강간을 당한 것인지 의문이 가게 하는 정황이다.

마) G은 이 법정에서 '2014. 2. 초순경 피해자로부터 "피고인이 자신을 덮쳤고, 자꾸 괴롭히니까 도와달라"는 말을 들었다'고 진술하였는데, 피해자가 G에게 한 말은 강간피해를 당하였다는 취지로 보기에는 다소 추상적이다.

3) 이러한 사정들을 종합하여 보면, 공소사실 가.항 기재 사건 당시의 상황에 관한 피해자의 진술은 과장되었을 가능성이 있어, 피해자의 진술을 그대로 믿어 피고인이 강간죄의 성립에 필요한 항거가 현저히 곤란한 정도의 폭행·협박에 의하여 피해자를 간음한 것이라고까지 단정하기는 어렵다. 그 밖에 검사가 제출한 다른 증거들만으로는 이 부분 공소사실이 합리적인 의심의 여지가 없을 정도로 충분히 입증되었다고 보기 어렵고, 달리 이를 인정할 증거가 없다.

다. 공소사실 나.항 기재 범행에 관하여

1) 피고인이 2014. 2. 21. 피해자를 강간하였다는 이 부분 공소사실에 부합하는 증거로는 피해자와 G의 수사기관 및 이 법정에서

의 각 진술이 있다.

2) 피해자의 수사기관 및 이 법정에서의 각 진술에 의하면, 피해자는 이 부분 피해 당시의 상황에 관하여 '피고인이 피해자에게 키스를 하려고 하여 이를 피하려고 하자 피해자를 강제로 밀어서 넘어뜨린 다음 피해자의 하의, 스타킹을 벗기고 강제로 성기를 삽입하였다'는 취지로 진술하였고, G의 수사기관 및 이 법정에서의 각 진술에 의하면, G은 '이 사건 당시 피고인과 피해자가 있는 1번방 옆의 대기실에 있으면서 피해자가 싫다고 하는 소리, 피해자가 우는 소리, 피고인이 욕설을 하면서 가만히 있으라고 하는 소리를 들었다'고 진술하여 이에 의하면, 피고인이 이 부분 공소사실과 같이 위 일시경 피해자를 강간하였을 것이라는 의심이 들기도 한다. 그러나 다른 한편으로, 기록에 비추어 보면, 피고인으로부터 강간을 당하였다는 피해자와 G의 각 진술을 그대로 신빙하기 어려운 다음과 같은 사정이 있다.

가) 이 사건은 2014. 2. 21. 00:00경 피고인, 피고인의 친구 L, 피해자, G이 함께 술을 마시고 노래를 부르면서 놀던 중 L이 귀가하고 G은 쉬기 위하여 대기실로 옮긴 상황에서 벌어졌는데, 피해자는 당시 피해상황에 관하여 사건 당일 오전 원스톱지원센터에서 있었던 제1회 경찰조사에서는 '술에 취하여 의자에 기대고 있었는데, 피고인이 키스를 하려고 피해자의 얼굴을 잡아 이를 피하였으나 피고인이 피해자를 눕히고 피고인 스스로 옷을 벗은 후 일어나려는

피해자의 몸 위로 올라와서 누르고 피해자의 하의스타킹과 치마를 벗긴 후 성기삽입을 했고, 그 밖에 특별한 폭행이나 협박은 없었다. 당시 술에 취하여 온 몸에 힘이 빠진 상태라 저항하지 못했다. 말할 힘조차 없고, 옆방에 G이 있어 창피하다는 생각에 거부의사를 말로 표현하지 못했고, 소리를 지르는 등의 행동을 취하지 않았다' 고 진술하였고, G이 경찰조사를 받은 이후인 2014. 2. 28. 있었던 제2회 경찰조사에서는 저항방법에 관하여 '싸움도 하고 울기도 하며 "하지마"라며 소리를 지르기도 했다'는 취지로 진술하였다. 이에 따르면, **사건 직후 있었던 경찰조사에서의 피해자의 진술은 피고인이 행사한 유형력의 방법이나 피해자의 저항방법에 관하여 모호하고 추상적이며, 제2회 경찰조사에서 저항방법에 관한 진술이 변경되면서 구체화되기는 하였으나, 변경된 경위에 관하여는 수사기관이나 이 법정에서 납득할만한 설명을 하지 못하였다.**

나) G은 수사기관 및 이 법정에서 '이 사건 당시 대기실에 있으면서 피해자가 "하지마"라며 저항하는 소리, 우는 소리, 피고인이 욕설하는 소리, 병이 부딪히고 마이크가 떨어지는 소리를 듣고 피해자의 언니인 M에게 연락하였다'고 진술하였는데, 이는 피해자의 제1회 경찰조사에서의 진술과 배치되는 면이 많아 전적으로 믿기는 어렵다.

다) 이 사건에 대한 신고가 이루어지게 된 경위와 관련하여, M은 이 법정에서 'G으로부터 연락을 받고 이 사건 장소에 도착하여 노

래방 1번 방문을 열고 들어가니 피고인이 옷을 모두 벗은 채로 소파에 앉아 있고 피해자는 웃옷만 입은 채로 소파 끝 바닥에 고개를 숙이고 앉아 있어 화가 나 욕을 하면서 탁자에 있는 물병과 재떨이 등을 피고인과 피해자를 향해 집어 던졌고, 피해자가 "그런 것이 아니다"라고 말하면서 울기에 강간을 당한 상황이라고 짐작하여 곧바로 112에 신고하였다'고 진술하였다. 이에 따르면 이 사건은 M의 신고에 의하여 사건화되었고, M은 당시 피해자로부터 성관계에 이르게 된 경위에 관하여 별달리 확인조차 하지 않은 채 피고인과 피해자의 모습만을 보고 추측에 의하여 경찰에 신고를 하게 된 것으로 보인다.

라) 현장에 출동한 경찰관인 N은 이 법정에서 '이 사건 현장에 M, M과 함께 온 남자, 피고인, 피해자가 있었는데, M이 피고인을 다그치고 있었고, 경찰관의 질문에 대해서는 M이 주로 답변하였으며, 피해자는 이불을 뒤집어쓰고 앉아있었을 뿐 별다른 이야기를 하지 않았다'고 진술하였는바, <u>강간피해를 당하였다는 피해자가 사건 직후 피해사실을 전혀 호소하지 않았다는 점은 이례적</u>이다.

마) 이 사건 당시 출동 <u>경찰관인 N, O이 작성한 수사보고서에 따르더라도, '긴박한 강간사건으로 보기에는 내부에 있던 사람들이 담담한 상황이었다'고 기재되어 있고, 이에 관하여 N은 이 법정에서 '일반적으로 강간 피해 현장에서는 피해자가 강하게 대응을 하는데 이 사건에서는 그렇지 않아 이 사건 출동 당시 강간 직후의</u>

상황이라고 보기 어려웠다'는 취지로 진술하였다.

바) 피고인이 옆방 대기실에 G이 있는 상태에서 피해자를 상대로 강간범행을 감행하였다는 것도 쉽사리 납득하기 어렵다.

사) 피해자가 이 사건 다음날인 2014. 2. 22. 자살시도를 하면서 작성한 유서에는 '피고인이 이 사건 당시 문을 잠그고 힘으로 강압하면서 협박하였다'고 기재되어 있으나, 이를 두고 피해자가 피고인으로부터 강간에 이를 정도의 폭행 또는 협박을 당하였다고 단정하여 해석하기는 어렵고, 피해자가 성관계 현장을 언니에게 목격당하였다는 사실에 대한 수치심에 유서를 작성하고 자살시도를 하였을 가능성도 배제할 수 없다.

3) 이러한 사정들을 종합하여 보면, 공소사실 나.항 기재 사건 당시의 상황에 관한 피해자와 G의 진술은 과장되었을 가능성이 있어, 피해자와 G의 진술을 그대로 믿어 피고인이 강간죄의 성립에 필요한 항거가 현저히 곤란한 정도의 폭행·협박에 의하여 피해자를 간음한 것이라고까지 단정하기는 어렵다. 그 밖에 검사가 제출한 다른 증거들만으로는 이 부분 공소사실이 합리적인 의심의 여지가 없을 정도로 충분히 입증되었다고 보기 어렵고, 달리 이를 인정할 증거가 없다.

[결론]

따라서 이 사건 공소사실은 모두 범죄의 증명이 없는 경우에 해당하므로 형사소송법 제325조 후단에 의하여 무죄를 선고하고, 형법 제58조 제2항에 따라 피고인에 대한 판결의 요지를 공시한다.

[촌평]

위 판결의 경우 강간 범행 전후의 행동 역시 범행의 유무를 판단하는데 중요한 요소가 됨을 설시한 것으로, 강간범행을 범하지 않았다고 적극적으로 주장하기 위해서는 범행 전후에 피해자가 한 행동들을 자세히 기억하여 이를 기록해 놓거나 카카오톡, 문자 메시지, 목격자 확보 등의 **증거 획득 행위를 적극적으로 하실 필요**가 있습니다.

2. 유사강간

가. 법리

형법 제297조의2는 "① 폭행 또는 협박으로 ② 사람에 대하여 ③ 구강, 항문 등 신체(성기는 제외한다)의 내부에 성기를 넣거나, ④ 성기, 항문에 손가락 등 신체(성기는 제외한다)의 일부 또는 도구를 넣는 행위를 한 사람은 2년 이상의 유기징역에 처한다."라고 규정하고 있습니다.

① 여기에서 폭행 또는 협박은 강간죄의 경우와 동일합니다. 폭행이란 사람의 신체에 대한 유형력의 행사 등 일제의 불법적인 공격을 말하고, 협박은 일반적으로 보아 사람으로 하여금 공포심을 일으킬 수 있을 정도의 해악을 고지하는 것을 말합니다{편집대표 김대휘 · 김신, 「주석 형법 각칙(제4권)」, 한국사법행정학회(2017), p.221}.

대법원은 위와 같은 폭행 · 협박이 어느 정도에 이르러야 하는지에 관하여 "강간죄가 성립하려면 폭행 · 협박이 피해자의 항거를 불가능하게 하거나 현저히 곤란하게 할 정도의 것이어야 한다(대법원 2015. 9. 24. 선고 2015도10843 판결)."라고 판시한바 있습니다. 즉 폭행 · 협박이 피해자의 항거를 불가능하게 할 정도에 이르지 않고(and) 현저히 곤란하게 할 정도에 이르지 않는 경우에는 유사강간죄가 성립하지 않습니다(위 대법원 판례의 반대해석).

② 사람은 모든 사람이 포함되나 피해자가 13세 미만인 경우에는 법정형이 더 높은 성폭력범죄의 처벌 등에 관한 특례법 제7조 제2항이 적용되고, 아동 · 청소년(19세 미만의 자)인 경우에는 아동 · 청소년의 성보호에 관한 법률 제7조 제2항이 적용되며, 신체적인 또는 정신적인 장애가 있는 사람에 대하여 본죄를 범한 경우에는 법정형이 더 높은 성폭력범죄의 처벌 등에 관한 특례법 제6조 제2항이 적용됩니다{편집대표 김대휘 · 김신, 『주석 형법각칙(제4권)』, 한국사법행정학회(2017), p.237}

③ 구강, 항문 등 신체(성기는 제외한다)의 내부에 성기를 넣거나, ④ 성기, 항문에 손가락 등 신체(성기는 제외한다)의 일부 또는 도구를 넣는 행위를 할 것을 요구합니다.

나. 무죄 판결 연구

[○○○○법원 2019. X. X. 선고 2018고합XX 판결]

[이 사건 공소사실]

피고인은 2018. 6. 2. 02:40경 서울 중랑구 C, 1층 'D편의점' 부근 노상에서 술에 취한 피해자를 만나 피해자의 집까지 걸어가던 중 갑자기 양손으로 피해자의 몸을 들어올리면서 피해자의 가슴을 주물러 만지고, 피해자의 옷 속으로 손을 집어넣어 가슴을 만지고,

계속하여 "하지 마라"고 말하면서 피고인을 앞질러 집 쪽으로 걸어가던 피해자를 뒤쫓아 함께 걸어가다가 재차 피해자의 바지 속으로 손을 집어넣어 피해자의 성기에 손가락을 3회 넣고, 이어서 근처 건물 안에 들어가 앉아있던 피해자의 입에 피고인의 성기를 1회 집어넣었다. 이로써 피고인은 피해자를 유사강간하였다.

[판단]

(...) 피해자의 진술 등 검사가 제출한 증거들만으로는 피고인이 이 사건 공소사실 기재와 같이 피해자를 유사강간하였다는 사실이 합리적 의심의 여지가 없을 정도로 입증되었다고 보기 어렵고, 달리 이를 인정할 증거가 없다.

1) 골목에서의 유사강간의 점

가) 피해자는 이 부분 공소사실에 관하여, 피고인을 만나게 된 경위, 골목 쪽으로 걸어가게 되기까지의 상황, 피고인이 다리를 걸어 피해자가 넘어진 상황 등에 관하여는 구체적으로 진술하고 있으면서도, 정작 유사강간 피해사실에 관하여는 "골목 쪽으로 앞질러 갔는데 피고인이 따라와서 갑자기 바지 속으로 손을 집어넣고 성기 안으로 손가락을 집어넣었다. 손을 넣어서 멈추고 아프다고 빼라고 하고, 빼고 걸어가는데 또 넣어서 멈춰서 아프다고 빼라고 하고 계속 반복했다. 순서는 모르겠는데 앞으로 두 번 하고 뒤로 한 번 넣었다."는 내용으로 진술하였을 뿐, <u>세부적이고 특징적인 경험에 관한 묘사는 거의 보이지 않는다.</u>

나) 피해자는 경찰에 제출한 고소장에 "2018. 6. 2. 02:40 ~ 03:15 사이에 데려다준다고 저를 만나서 D편의점 옆 나무판자에서 대략 02:50쯤 가슴을 만지고 D편의점 옆 골목에서 일부러 넘어뜨리고 손을 성기에 넣고 올라와서 키스를 했습니다. 처벌해주세요." 라는 내용으로 고소사실을 기재하였다. 피해자는 수사기관과 이 법정에서 "피고인이 피해자를 뒤쫓아 걸어가다가 3회에 걸쳐 피해자의 바지 속으로 손을 집어넣어 피해자의 성기에 손가락을 넣었다." 는 내용으로 진술하였는데, 핵심적인 피해내용에 관하여 위와 같이 **진술이 일관되지 않은 점을 납득하기 어렵다.**

다) 피해자는 당시 청바지를 입고 있었고, 이는 적어도 쉽사리 흘러내리지 않을 정도로 피해자의 복부 및 허리에 밀착되어 있을 것으로 보인다. 이러한 상황에서 피고인이 피해자의 복부와 등 쪽으로 손을 넣어 손가락을 성기에 넣는 행위를 하는 것이 **물리적으로 불가능하다고 단정할 수는 없지만, 피해자가 청바지를 입은 채 걷고 있던 상황임을 고려하면, 음부나 엉덩이 부분을 넘어 성기 안까지 손가락을 넣는 것은 상당히 어려울 것으로 보인다.** 이에 대하여 피해자는 아파서 멈춰 섰기 때문에 가능하다는 취지로 진술하였으나(B에 대한 증인신문 녹취서 9면), 이는 손가락이 성기 안으로 들어가서 아프다는 것을 전제로 한 것으로서 그 자체로 모순된다.

라) 가사 유사성교행위가 있었다고 하더라도, 피해자의 진술이나

이 부분 공소사실 기재 자체로도 피고인이 피해자의 항거를 불가능하게 하거나 현저히 곤란하게 할 정도로 어떻게 폭행 또는 협박하였는지 불분명하고, 폭행행위 자체가 유사강간이 되는 기습 유사강간은 피고인의 순간적인 행위로 피해자가 저항할 여유를 주지 않음으로써 피해자의 반항 의사를 제압하는 경우 등에 성립할 수 있는 것인바, 피고인과 피해자의 관계, **피해자는 청바지를 입은 채** 자신의 집으로 가는 골목을 걷고 있었고, 양손을 자유롭게 사용할 수 있었던 점, 피해자는 유사성교행위가 3회 있었다고 진술하며 이에 관하여 "걸어가면서 손을 넣어가지고 제가 그때 멈추고 아프다고 빼라고 하고, 빼고 걸어가는데 또 넣어서 멈춰서 아프다고 빼라고 하고, 그거 계속 반복하였다."라고 진술하는 점(B에 대한 증인신문 녹취서 13면), 바지 안에 손을 넣어 신체를 접촉하는 등의 추행행위와 달리 바지와 팬티 안으로 손을 넣어 성기 안까지 손가락을 넣는 행위는 피해자가 **저항할 겨를이 없을 정도로 짧은 시간**에 이루어질 것으로 보이지는 않는 점, 피해자가 술에 취하였다는 사정을 고려하더라도 피해자가 어느 정도 항거할 수 있는 시간적 간격은 있었을 것으로 보이는 점 등에 비추어, 피고인의 유사성교행위 자체가 피해자가 항거가 불가능하거나 현저히 곤란할 정도로 기습적으로 이루어졌다고 단정하기도 어렵다. 이런 경우 **원하지 않는 유사성교행위가 될 수 있을지언정 유사강간행위로 인정할 수는 없다.**

2) 빌라 안에서의 유사강간의 점

가) 피해자는 이 부분 공소사실에 관하여, "빌라 안에 쪼그려 앉

아 있는데 갑자기 피고인의 성기가 입으로 들어왔다. 피고인이 이빨에 닿지 않게 하라고 말하여 빼고 나왔다."라는 취지로 진술하였을 뿐, 빌라 안에 들어가게 된 경위, 빌라 안에 쪼그려 앉게 된 이유 등에 관하여는 기억이 나지 않는다고 진술하였다. 이미 3회의 유사강간 피해를 입었다는 피해자가 집과 가까이에 있는 빌라[피해자는 위 빌라가 집 바로 앞, 코너를 돌기 전에 위치하고 있다는 취지로 진술하였다(수사기록 39면)]에 왜 피고인과 함께 들어가게 되었는지 납득할 만한 설명을 하지 못하고 있다. 한편, 당시 피고인과 피해자가 빌라 안으로 들어가는 모습이 촬영된 <u>CCTV 영상</u>을 살피면, 피해자가 피고인을 빌라 안으로 당기는 듯한 모습이 확인되기도 한다.

나) 피해자는 빌라 안에서 입을 벌리게 된 경위도 상세하게 진술하지 못하고 있다. 피고인이 피해자의 입에 자신의 성기를 정확하게 넣는 것이 다소 어려웠을 수도 있고, 피고인과 피해자의 관계나 장소적 특성 등에 비추어 피해자가 입을 닫거나 고개를 돌리는 등의 방법으로 유사성교행위를 거부하는 것도 전혀 불가능한 상황은 아니었던 것으로 보인다. 그런데 피해자는 당시 피고인이 행사한 유형력의 내용과 그 정도, 자신의 저항 방법 및 그 정도, 당시의 느낌이나 감정 등에 관하여 구체적인 세부 묘사를 하지 않고 있어, 피해자의 진술 자체로도 당시 피고인이 폭행·협박으로 피해자의 항거를 현저히 곤란하게 하여 유사강간행위를 하였다거나 기습적으로 유사강간행위를 하였다고 인정하기 어렵다. 한편 피해자는 경찰 조

사 시에는 "피고인이 성기를 입에 넣고 빨으라고 말을 시켰다."라는 취지로 진술하였다가(수사기록 39면), 그 이후에는 "빨아라."라고 말했는지는 기억나지 않는다고 진술을 번복하기도 하였다(수사기록 123면).

다) 피해자는 경찰에 고소장을 제출하면서 "피고인이 가슴을 만지고, 손을 피해자의 성기에 넣고, 키스를 했다."는 내용만 그 고소 내용으로 기재하였을 뿐, 피고인이 피해자의 입에 성기를 넣었다는 내용은 기재하지 아니하였다. **피해자의 처벌을 원한다는 내용으로 고소장을 제출하면서 핵심적인 피해내용을 생략하였다는 것은 쉽게 납득하기 어렵다.**

[결론]

그렇다면 이 사건 공소사실은 범죄사실의 증명이 없는 때에 해당하므로 형사소송법 제325조 후단에 따라 피고인에 대하여 무죄를 선고하고, 형법 제58조 제2항에 따라 이 판결의 요지를 공시하기로 하여 주문과 같이 판결한다.

[촌평]

위 판결 역시 범행전후의 제반 상황 및 피해자 진술의 일관성 없음을 고려하여 무죄가 선고된 사례입니다. 성범죄로 고소를 당하셨을 때는 당황하지 마시고 변호사와 상의하여 **초기에 위와 같은 사정들을 발굴해 내는 것이 매우 중요**합니다.

[○○○○법원 2019. X. X. 선고 2018고합XX 판결]

[공소사실]

(...) 피고인은 2018. 5. 26.경 피해자, D, 자신의 전 여자친구 G과 함께 술을 마신 뒤, 피해자 등을 자신의 집에서 재워주기로 하고 자신의 집으로 데려가, 피해자와 D는 동생 방에서 자고, 자신은 위 G과 함께 자려고 하였으나 위 G이 거부하자, 피해자와 D가 있던 동생방으로 들어가 피해자 옆에 누웠다. 피고인은 2018. 5. 27. 3:00경부터 같은 날 04:00경까지 사이에 진주시 H에 있는 피고인의 집에서, D를 향해 옆으로 누워 자고 있던 피해자의 뒤로 다가가 피해자와 같은 이불을 덮어 자신의 손을 가린 후, 피해자의 브래지어 안으로 손을 넣어 양쪽 가슴을 주물러 만지고, 피해자의 속옷 안으로 손을 넣어 음부와 엉덩이를 수회 주물러 만지고, 자신의 손가락을 피해자의 음부 안에 넣었다. 계속하여 피고인은 D가 화장실에 간 틈을 이용하여, 피해자에게 키스를 하고, 이에 얼굴을 돌리고 손으로 피고인의 얼굴을 밀어내며 거부하는 피해자의 손목을 강하게 붙잡아 반항을 억압한 후, 피해자의 머리를 잡아 아래로 끌어내리고 자신의 몸을 위로 올려 자신의 성기를 피해자의 입안에 넣어 앞뒤로 수회 움직였다. 이로써 피고인은 피해자의 성기에 손가락을 넣고, 자신의 성기를 피해자의 구강에 넣는 유사강간을 하였다.

[판단]

(...) ① 피해자의 법정 진술에 의하면, 피고인이 유사강간을 할

당시 강제로 하거나 폭력을 쓴 적 없이 자연스럽게 피해자의 음부에 손가락을 넣었다고 하였으며, 피해자 역시 놀라서 별 반응을 하지 못하고 피고인에게 하지 말라는 식으로 손짓만 하였을 뿐이며, 피고인이 강제로 한다거나 폭력을 쓴 적이 없다는 취지로 진술하였다(녹취록 8, 14면).

② 피고인은 피해자와 키스한 후, 자연스럽게 피해자가 피고인 아래로 내려와 피고인의 성기를 입에 넣었다고 진술하였고, 피해자 역시 이 법정에서 피고인이 피해자의 머리를 눌러 어쩔 수 없이 피고인 아래로 내려갔으나 당시 거부한다거나 저항하는 말이나 행동을 하지 않았고, 피해자 본인이 스스로 입을 벌렸다는 취지로 진술하였다.(녹취록 14면).

③ 피해자는 위와 같은 상황을 피하려면 피할 수 있었으나, 남자친구가 알게 되어 오해라도 하게 되면 상황이 더 나빠질 수 있을 것 같아 아무런 행동도 할 수 없었다는 취지로 진술하였고(녹취록 18면), 피해자 남자친구인 D 역시 사건 직후 피고인 뿐 아니라 피해자까지 의심했었다는 취지로 진술하였다(수사기록 171면).

④ 피고인이 피해자에게 한 일련의 유사성교 행위는 피해자의 남자친구인 D가 함께 자고 있을 때부터 시작하여 2~3회 화장실을 다녀올 때까지 이루어진 것으로 피해자가 이 상황을 모면하고자 한다면 피해자 남자친구와 자리를 바꾸거나 피해자 역시 화장실에 가

고 싶은 것처럼 자연스럽게 밖으로 나갈 수 있었음에도 불구하고 그렇게 하지 않았으며, 한 침대에서 피해자의 남자친구인 D가 피해자 바로 옆에서 잠을 자고 있었는데, 당시 피해자가 남자친구를 깨우려는 시도조차 하지 않았다.

⑤ 피고인으로서도 피해자의 남자친구가 바로 옆에서 자고 있는 상황에서 폭행이나 협박으로 피해자의 반항을 억압하고 유사성교행위를 시도하기는 어려웠을 것으로 보인다.

⑥ 피해자가 남자친구와의 관계를 우려하여 적극적으로 저항하지 못했다고 하더라도 이는 원하지 않는 유사성교행위가 될 수 있을지언정 유사강간행위가 된다고 보기 어렵다.

⑦ 위와 같이 유사성교행위를 한 장소와 경위 및 피해자의 행동을 보면, 피고인이 피해자의 항거를 불가능하게 하거나 현저히 곤란하게 할 정도의 폭행·협박으로 유사성교행위를 한 것으로 보기는 어렵다(피고인이 피해자의 음부에 손가락을 넣은 것이 다소 기습적으로 이루어졌다 하더라도 그 전에 가슴과 엉덩이 및 음부를 만지다가 삽입한 것이어서 반항이 현저히 곤란했다고 보기 어렵다).

[결론]

그렇다면 피고인에 대한 이 사건 공소사실은 범죄의 증명이 없는 경우에 해당하므로, 형사소송법 제325조 후단에 의하여 무죄를 선고한다.

[촌평]

통상 유사강간은 강간에 비해 죄질이 나쁘지 않다고 생각할 수 있으나, 우리 대법원은 유사강간을 강간보다 더 나쁘게 보거나 적어도 못지 않게 나쁘다고 보고 있습니다. 유사강간의 경우에도 사안의 심각성을 인지하시고 **초기에 피해자 진술의 모순이나 제반 사정을 꼼꼼히 살펴 방어전략을 세울 필요**가 있습니다.

3. 준강간 · 준유사강간

가. 법리

형법 제299조는 "① 사람의 ② 심신상실 또는 항거불능의 상태를 이용하여 ③ 간음 또는 추행을 한 자는 제297조(注. 강간), 제297조의2(注. 유사강간) 및 제298조(注. 강제추행)의 예에 의한다." 라고 규정하고 있습니다.

① 본 규정은 '사람'이라고 규정한바 객체에 어떠한 제한이 없으나, 피해자가 13세 미만인 경우 본죄보다 법정형이 더 높은 성폭력범죄의 처벌 등에 관한 특례법 제7조 제4항이 적용되고, 피해자가 신체적인 또는 정신적인 장애로 항거불능 또는 항거곤란한 사람인 경우에는 법정형이 더 높은 성폭력범죄의 처벌 등에 관한 특례법 제6조 제4항이 적용될 것이며, 피해자가 아동 · 청소년(19세 미만의 자)일 경우에는 법정형이 더 높은 아동 · 청소년의 성보호에 관한 법률 제7조 제4항이 적용됩니다{편집대표 김대휘 · 김신, 「주석 형법 각칙(제4권)」, 한국사법행정학회(2017), p.256}.

② 심신상실이란 정신장애 또는 의식장애 때문에 성적행위에 관하여 정상적인 판단을 할 수 없는 상태를 말하고, 항거불능이란 심신상실 이외의 원인 때문에 심리적 또는 물리적으로 반항이 불가능한 경우를 말합니다{편집대표 김대휘 · 김신, 「주석 형법 각칙(제4

권)」, 한국사법행정학회(2017), p.257-258}.

③ 간음 또는 추행을 한 자는 앞서 말씀드린 바와 같습니다. 다만 가해자가 피해자와 사이에 4촌 이내의 혈족·인척과 동거하는 친족 또는 동거하는 사실상의 관계에 있는 친족관계에 있는 자가 본죄를 범하였을 경우에는 법정형이 더 높은 성폭력범죄의 처벌 등에 관한 법률 제5조 제3항이 적용됩니다{편집대표 김대휘·김신, 「주석 형법 각칙(제4권)」, 한국사법행정학회(2017), p.255}.

나. 무죄 판결 연구

[○○○○법원 2021. X. X. 선고 2021고합XX 판결]

피고인은 2020. 8. 9. 03:30경 경남 합천군 D여관에서 E, F과 함께 술을 먹던 중 E이 평소 알고 지내던 G에게 함께 술을 먹자고 연락하여 G가 데려온 피해자와 함께 술을 마셨으나, 같은 날 07:00경 여관 주인이 미성년자 혼숙에 대해 항의하자 일행들과 함께 H 모텔로 장소를 이동하게 되었다.

피고인은 2020. 8. 9. 08:00경 위 H 모텔 I호실에서, 다른 일행들이 모텔 호실에 들어오지 않고 바깥에서 기다리고 있는 것을 기화로 피해자가 실제로는 반항이 불가능할 정도로 술에 취하지 아니하여 항거불능의 상태에 있지 않았음에도 불구하고 피해자가 술에 만

취하여 항거불능의 상태에 있다고 오인하여, 침대 위에 누워 잠을 자고 있는 피해자의 옷 속으로 손을 넣어 가슴을 만지고, 피해자의 바지와 속옷을 벗긴 다음 피고인의 성기를 피해자의 음부에 1회 삽입하여 간음하였다.

이로써 피고인은 아동·청소년인 피해자의 항거불능 상태를 이용하여 피해자를 강간하려다가 미수에 그쳤다.

[판단]

(...) 1) 기록에 의하여 알 수 있는 다음 사실관계 및 사정들에 비추어 보면, 검사가 제출한 증거들만으로 피고인이 준강간의 고의로 피해자를 간음하였다고 보기 어렵고, 달리 이를 인정할 증거가 없다.

가) 피고인은 2020. 8. 9.경 자신의 후배인 E, F과 함께 있던 중, E이 평소 알고 지내던 G에게 "함께 술을 마시자"고 연락하여 G 및 그녀의 지인인 피해자가 같은 날 03:30경 피고인 일행이 있던 경남 합천군 J에 도착하게 되었다. 피고인과 피해자 일행은 같은 날 03:54경 경남 합천군 D여관에 함께 들어갔고, 그곳에서 술 게임(지는 사람이 벌칙을 수행하거나 술을 마시는 것을 뜻한다)을 하면서 소주, 맥주를 나누어 마셨는데, 그 과정에서 피고인과 피해자가 벌칙으로 입맞춤을 하는 등 신체접촉을 하기도 하였다. 이때 피고인은 먼저 피해자에게 "스킨십을 해도 되냐? 괜찮냐?"라는 취지

로 물어보았고, 피해자가 이에 허락하자 벌칙인 입맞춤 등을 하였다.

나) 피고인과 피해자는 같은 날 05:40경 술을 더 사기 위하여 인근에 있던 편의점에 함께 다녀왔는데, 당시 촬영된 CCTV 화면에서 피해자가 피고인의 옆에 나란히 걸으면서 피고인에게 어깨동무를 하거나 팔 부위를 잡는 모습, 피해자가 피고인에게 이야기하고 피고인은 이를 들으면서 걸어가는 모습(CCTV 영상의 05:48경) 등을 확인할 수 있다.

다) 피고인과 피해자 일행은 같은 날 07:00경까지 함께 술을 마시다가 여관 주인의 항의를 받고 D여관에서 나오게 되었다(이때까지 마신 술의 양과 관련하여, E, F은 "처음에 소주 5병, 맥주 피처 1병을 나누어 마셨고, 피고인과 피해자가 편의점에서 소주 3병 가량을 더 사와서 이를 나누어 마셨다"는 취지로 진술하였다. 피해자는 "평소 주량이 소주 1병 반 가량이고, 당시 소주 1병 이상은 마셨던 것 같다"는 취지로 진술하였다).

당시 촬영된 CCTV 화면에서는 아래와 같은 모습을 확인할 수 있다(H 모텔 내부에 설치된 CCTV 화면의 시간이 외부에 설치된 다른 CCTV 화면의 시간보다 8분 정도 느린데, 이하에서는 외부 CCTV 화면의 시간을 기준으로 서술한다).

(...) ○ 07:38경~07:51경 피고인과 피해자 일행이 위 의원 건물 앞에서 앉아있고 피해자는 고개를 숙인 채 앉아서 조는 모습. 이후 피고인이 07:51경 피해자를 깨우고 피고인과 피해자 일행이 H 모텔로 이동하는 모습

○ 07:52경 H 모텔 1층 계단에 도착한 피고인과 피해자 일행이 모텔 건물 안으로 들어가는데, 피해자는 건물 밖 계단에 잠시 앉아 있다가 마지막으로 걸어 들어가는 모습

○ 08:02:52경 피고인이 대실한 모텔 I호실에 피고인이 들어가면서 문을 열어두는 모습

○ 08:03:24경 E과 E을 뒤따라 온 피해자가 I호실에 들어가는 모습

(...) ○ 08:26경 피고인이 I호실에서 혼자 나오는 모습(피해자가 나오는 모습은 CCTV에서 확인되지 않음)

○ 08:27:50경 피해자가 H 모텔 건물 1층 계단에 나타나 잠시 서 있는 모습

○ 08:28:03경 계단에 서 있던 피해자가 계단 아래로 내려가자 피해자 뒤쪽으로 피고인의 모습이 보이고, 이후 피고인이 계단에 앉는 모습

○ 08:28:55경 위 계단 앞으로 택시가 도착하고, 그 후 피해자와 G가 택시에 타는 모습

라) 피해자는 위 I호실 안에서 있었던 일에 관하여 수사단계에서부터 이 사건 공판절차에 이르기까지 “들어간 직후 침대에 누워 잠

이 들었는데, 피고인이 가슴을 만져서 잠에서 깼고, 그 후 피고인이 몸 위에 올라타 옷을 벗긴 다음 간음하였다", "간음행위 전에 피고인이 피해자의 손을 잡고 피고인의 성기에 가져가 닿게 하였고, 피해자에게 키스를 하기도 하였다", "눈을 뜨고 있었기 때문에 피고인도 잠에서 깬 사실을 알고 있었을 것으로 생각한다", "당시 불은 꺼져 있었는데 해가 떴을 때여서 객실 안이 밝았다"는 취지로 진술하였다.

간음행위 당시의 대처에 관하여 피해자는 수사단계에서는 "자는 척을 하였다"는 취지로 진술하였다가, 이 사건 공판절차에서는 "피고인이 가슴을 만져서 잠에서 깼을 때부터 눈을 뜨고 있었고, 간음 당시에도 눈을 반쯤 뜨고 있었을 뿐 자는 척을 하지는 않았다", "피고인이 폭력을 행사할지 몰라 저항하거나 거부 의사를 전혀 표시하지 않았다", "피고인이 피해자에게 협박을 하거나 때리거나 한 것은 전혀 없었다"는 취지로 진술하였다.

또한 피해자는 간음행위 이후 피고인의 언동에 관하여 수사단계에서부터 이 사건 공판절차에 이르기까지 "피고인이 (피해자의) 배에 사정한 후, 수건을 가져와서 닦은 다음 '닦으라'고 말하였다"는 취지로 진술하였다. 피해자는 2020. 8. 13. 피고인과 문자메시지를 주고받는 과정에서, 피고인이 "너 진짜 기억 못하는 거 같은데? 무서웠는데 왜 내 목덜미 잡으면서 키스하려고 했는데"라는 문자메시지를 보내자, 피고인에게 "그 쪽(피고인)이 먼저 하셨잖아요, 저는 저항했다가 두들겨 맞을까봐 그냥 가만히 장단 맞춰준 거였거든요" 라는 문자메시지를 보냈다. 피해자는 검찰에서 "피고인이 키스하였을 때 받아주긴 했는데 피고인의 목을 감싼 사실은 없다"는 취지로 진술하였고(피해자 진술과정 영상녹화CD 화면의 15:28:35 부분), 이후 "저항하면 맞을까봐 장단만 맞춰 주었는데"라는 진술도 하였다(위 영상녹화CD 화면의 15:28:58 부분).

마) 피해자는 03:54경부터 07:00경까지 D여관에서 피고인 등과 술을 마셨고, 위 여관에서 나온 이후 술에 취하여 비틀거리거나 조는 모습을 보이기는 하였다. 그러나 피고인의 간음행위 당시 피해자가 항거불능 상태에 있었는지는 분명하지 않고, 이 사건 공소사실 역시 피고인은 피해자가 항거불능 상태에 있었다고 인식하였으나 실제로는 피해자가 항거불능 상태에 있지 않아 준강간의 결과 발생이 처음부터 불가능하였음을 전제로 하고 있다.

그런데 위에서 본 피해자 진술에 따르더라도, 피고인이 간음을 할 의도를 가지고 간음의 수단이라고 할 수 있는 행동을 시작한 때, 즉 피고인이 피해자의 몸 위에 올라타 피해자의 옷을 벗긴 시점에 이미 피해자는 잠에서 깨어 눈을 뜨고 있는 상태였고, 아침 해가 떠 객실 안이 밝았으며, 피해자가 자는 척을 하지는 않았고 피고인의 키스를 받아주기도 했다는 것이므로, 당시 피고인이 피해자가 항거불능 상태에 있다고 인식하였다거나 그러한 상태를 이용하여 간음할 의사로 피해자를 간음하였다고 단정하기 어렵다. 오히려 피고인이 사정한 이후 피해자에게 수건을 건네며 "닦으라"고 말했던 점이나, "그냥 가만히 장단만 맞춰준 것이었다"는 피해자의 문자메시지 내용, 피고인이 술 게임을 할 때에 먼저 피해자의 허락을 받은 다음 벌칙인 입맞춤 등을 했었고 피해자와 단둘이 술을 사러 다녀올 때에 피해자가 자연스럽게 피고인에게 이야기했던 점 등에 비추어 보면, 피고인으로서는 피해자가 잠에서 깨어 있고 성관계 등을 원하지 않는다면 자신에게 거부 의사를 분명히 표현할 수 있을 것이라고 인식하였을 가능성을 배제할 수 없다.

2) 그렇다면 이 사건 공소사실은 범죄사실의 증명이 없는 때에 해당하므로, 형사소송법 제325조 후단에 따라 무죄를 선고하고, 형법 제58조 제2항 본문에 따라 이 판결의 요지를 공시한다.

[촌평]

준유사강간의 경우 피해자가 항거불능 상태(강간 시도시 반항을 할 수 없을 정도로 취하거나 깊은 잠에 빠진 경우)에 있었는지가 가장 중요하므로 범행당시 피해자가 그러한 상태에 있지 않았다는 것을 객관적 자료를 통해 입증하여야 합니다.

[○○○○법원 2013. X. X. 선고 2012고합XX 판결]

가) 피해자는 이 사건이 발생한 일시 및 강간당한 횟수에 관하여 경찰과 이 법정에서의 진술이 여러 차례 번복 되는 등 진술이 일관되지 않다.

나) 피해자는 이 법정에서 '사건 당일 피고인에게 피해자의 신변에 관한 문제들을 상의하기 위해 피해자의 집에서 저녁 9시경 만나기로 약속하고 오후 6시경부터 피고인이 오기 전까지 혼자서 소주 한 병, 맥주 캔을 마셨는데, 평소 주량대로 마신 것이고 여러 가지 생각을 하면서 천천히 마셔 피고인을 만난 당시 술에 취한 상태는 아니었다.'고 진술하기도 하였고, 피해자는 피고인을 만나 같이 술을 마시면서 나눈 대화 내용에 대하여 정확하게 기억하는 반면, 피해자가 평소 주량대로 술을 마셨음에도 불구하고 특별히 술에 취해 정신을 잃은 이유에 대해서는 잘 모르겠다고 진술하기도 하여, 과연 피해자가 의식을 잃을 정도로 만취 상태였는지 합리적인 의심이 든다.

다) 위와 같이 강간을 당하였다고 주장하는 날 이후로도 피고인은 피해자 집 현관문의 비밀번호를 누르고 드나들었음에도 불구하고, 피해자는 비밀번호를 바꾸지 않았으며 피고인의 출입을 제지하지 않았다.

이와 관련하여 피해자는 피고인이 자신의 범행을 인정하고 사과할 때까지 기다린 것이라고 진술하나, 피해자의 위와 같은 설명만으로는 피해자가 이미 준강간을 당했고 또 앞으로도 그럴 위험이 있는 피고인을 피해자의 집에 들어오도록 허용했다는 것이 선뜻 납득이 되지 않는다.

라) 피해자는 피고인과의 전화통화를 녹음하여 증거를 수집한 후 고소를 하게 되어 피고인에 대한 고소가 늦어지게 된 것이라고 진술하고 있는데, 피해자가 수집하였다는 증거 중에 피고인이 피해자를 준강간하였음을 직접 시인하거나 이를 추단할 만한 내용은 없었던 것으로 보인다.

[결론]

따라서 이 사건 공소사실은 범죄사실의 증명이 없는 경우에 해당하므로 형사소송법 제325조 후단에 의하여 무죄를 선고한다.

[촌평]

위 판결 역시 범행당시 피해자가 항거불능 상태에 있지 않았다는 점을 객관적 자료를 통해 입증하여 무죄가 선고된 사례입니다. 준유사강간 등의 경우 이에 관한 입증을 위해 사건 초기부터 치밀한 전략을 세울 필요가 있습니다.

4. 강간상해 · 강간치상

가. 법리

형법 제301조는 "제297조(*注강간), 제297조의2(*注유사강간) 및 제298조부터 제300조까지(*注강제추행, 준강간, 준강제추행, 위 각 죄의 미수)의 죄를 범한 자가 사람을 상해하거나 상해에 이르게 한 때에는 무기 또는 5년 이상의 징역에 처한다."라고 규정하고 있습니다.

① 강간 등의 죄가 성립할 것, ② 상해에 이를 것이 필요한데, 여기에서 상해란 신체의 완전성을 훼손하거나 생리적 기능에 장애를 초래하는 것이고, 상해의 결과가 간음이나 유사간음 또는 추행행위 그 자체에 기인하는 경우는 물론이고 그 수단으로 행해진 폭행으로 인하여 발생한 경우에도 본죄가 성립합니다.

나. 무죄 판결 연구

[○○○○법원 1996. X. X. 선고 96고합XX 판결]
[판결요지]
강간치상의 공소사실 중 강간의 점을 인정할 증거가 없다면 치상의 점에 관하여 더 나아가 살펴볼 것 없이 범죄의 증명이 없는 때에 해당하므로, 강간치상의 점에 대하여 무죄를 선고하여야 한다.

[판결이유]

(...) 피고인이 먼저 위 OOO여관에 혼자 들어와 투숙할 방이 있는지 여부를 먼저 확인한 후 나갔다가 피고인과 피해자가 위 OOO여관에 보통의 남녀와 같이 자연스럽게 들어왔고, 피고인이 1층 계산대에서 여관비를 계산할 때 피해자가 먼저 2층 여관방으로 올라간 사실을 인정할 수 있는바, 피해자가 위 여관종업원인 공소외 OOO에게 구호요청을 전혀 하지 아니하였을 뿐만 아니라 위 여관에 들어갈 당시 피고인으로부터 벗어날 수 있는 기회가 충분히 있었음에도 위와 같이 자연스럽게 여관방으로 함께 들어간 점 등에 비추어 볼 때 위 피해자의 진술을 쉽게 믿을 수 없으며, 달리 피고인이 위 공소사실과 같이 피해자를 강간하였다고 인정할 만한 아무런 증거가 없다. 따라서 이 부분 공소사실은 더 나아가 치상의 점에 관하여 살펴볼 것도 없이 범죄의 증명이 없는 때에 해당하므로 형사소송법 제325조 후단에 의하여 무죄를 선고한다.

[촌평]

강간치상의 경우 강간의 기회에 상해의 결과가 발생하여야 하므로 강간이 성립되지 않는다면 강간치상도 될 수 없다는 취지의 판결입니다. 강간치상으로 고소당한 경우 성해위 자체가 도저히 강간이 아니라고 생각된다면 상해 여부를 다투기 보다는 강간죄의 성립 여부를 먼저 따져보아야 합니다.

[○○○○법원 2016. X. X. 선고 2015고합XX 판결]

[공소사실의 요지]

나. 강간치상

피고인은 2010. 5. 15. 03:30경 김천시에 있는 경부고속도로 남김천 분기점 고속도로 갓길에서 위 화물차를 정차시킨 후 조수석에 타고 있던 피해자를 강제로 들어 조수석 뒤에 있던 간이침대에 눕히고, 피해자의 허벅지 위를 올라가 한손으로 피해자의 두 손을 잡아 반항하지 못하게 한 후 나머지 한손으로 옷을 벗겼다. 계속하여 피고인은 위 간이침대에 이불을 펼쳐 피해자를 강간하려고 하였다.

이때 겁을 먹은 피해자가 화물차의 문을 열고 뛰어내려 도망하고, 이에 피고인이 피해자를 붙잡아 다시 위 카고 트럭에 태웠으나 피해자가 그냥 보내달라고 사정을 하는 바람에 강간의 뜻을 접고 그만두어 미수에 그치고, 피해자가 카고 트럭에서 탈출하는 등의 과정에서 피해자로 하여금 약 2주간의 치료를 요하는 양측발목의 염좌 등의 상해를 입게 하였다.

(...) 그런데 기록에 나타나는 다음과 같은 사정들을 종합하여 보면, 피해자의 진술에 충분한 신빙성이 있다고 보기 어렵고, 검사가 제출한 나머지 증거만으로는 피고인이 공소사실 기재와 같이 피해자를 감금하고, 피해자를 강간하려다 미수에 그쳤다고 인정하기에 부족하며 달리 이를 인정할 증거가 없다.

1) 피해자는 피고인이 피해자를 태운 트럭을 운전하여 왜관 IC에 도착한 후 통행권을 뽑기 위해 트럭을 정차하였을 때 도움을 요청하기 위해 트럭에서 뛰어 내렸다고 진술하였으나, 정작 그곳에서 마주친 근무자에게 아무런 도움을 요청하지 않았고, 오히려 위 근무자는 피해자가 트럭에 다시 탑승하도록 도움을 준 것으로 보인다.

2) 피해자는 피고인이 트럭에서 강간을 시도할 당시 처음에는 조수석에 앉아 있는 피해자의 허벅지 위로 올라 타 양팔을 위로 올려 한 손으로 잡아 피해자의 반항을 억압한 다음 다른 손으로 옷을 벗겼다고 진술하였다가, 나중에는 위와 같이 양팔을 한 손으로 잡은 상태에서 다른 손으로 피해자를 들어 뒤쪽 간이침대로 넘겨서 옷을 벗겼다고 진술하였으나, 나중에는 다시 조수석에서 옷을 벗겼다고 진술하는 등 피고인의 강간 시도 당시의 정황에 관한 주요 부분의 진술이 계속 번복되고 일관성이 없다.

3) 더구나 피해자는 피고인이 강간 시도 당시 흉기를 사용한 적이 없고 피해자의 위에 올라타 손을 잡은 것 외에는 다른 폭행이나 협박이 없었으며, 오히려 피고인에게 반항하는 과정에서 허벅지에 멍이 든 상처가 생겼다고 진술하였는데, 피고인 트럭의 실내 구조, 특히 운전석과 조수석 사이에 커다란 엔진룸이 설치되어 있어 운전석에서 조수석으로 이동하는 것이 쉽지 않아 보이는 점, 조수석 공간의 넓이 등을 고려할 때, 피해자의 진술과 같이 피고인이 조수석

에 앉아 반항하는 피해자의 허벅지 위로 올라타서 옷을 벗긴다거나, 반항하는 피해자를 조수석에서 한 손으로 들어 뒤쪽 간이침대로 넘기는 것은 매우 어려워 보일 뿐만 아니라, 피해자가 제출한 상해진단서에는 허벅지 부분이 상해 부위에 포함되어 있지 않다.

4) 피해자는 피고인이 위와 같이 조수석 내지 간이침대에서 자신의 옷을 벗긴 다음 간이침대의 이불을 피거나 정리하는 사이에 트럭에서 뛰어내려 부근에 있던 다른 트럭 운전자에게 도움을 요청한 적도 있다고 진술하였으나, 반항하는 피해자를 강간하기 위하여 옷을 벗긴 **<u>피고인이 강간에 앞서 간이침대의 이불을 정리하였다는 것도 선뜻 납득하기 어렵다.</u>**

5) 피해자는 2010. 5. 15. 03:30경 피고인이 강간을 시도하였고 그 이후 피해자가 트럭에서 뛰어 내려 인근 트럭 운전자에 도움을 요청하였다가 다시 피고인의 트럭에 승차한 다음 피고인에게 애원하여 결국 트럭에서 내릴 수 있었다고 진술하였는데, 이에 의하면 피해자가 마지막으로 트럭에서 하차한 시점은 위 03:30경에서 다소의 시간이 경과한 후였을 것으로 보인다. 그런데 112 신고사건 처리표에는 피해자가 같은 날 03:26경 이미 트럭에서 하차하여 고속도로에서 112에 도움을 요청한 것으로 기재되어 있어 이 부분 피해자의 진술은 믿기 어렵다.

6) 피해자는 피고인이 강간을 시도하기 이전인 2010. 5. 15.

03:18경 피고인 몰래 바지 뒷주머니에 있는 휴대폰을 잡고 112에 신고를 하면서 피고인에게 "여기 고속도로인데 여기로 가면 어떻게 어디까지 갈껀데"라고 물었다고 진술하고 있고, 실제로 피해자의 통화내역에 의하면 같은 날 03:19경 112에 신고한 것으로 기재되어 있는데, 앞서 본 것처럼 피해자가 위 신고시점으로부터 7분 가량이 경과한 03:26경 이미 트럭에서 하차하여 고속도로에서 112에 도움을 요청하는 신고를 한 점에 비추어 보면, 위 03:19경의 112 신고도 피해자가 트럭에서 하차한 후에 이루어졌을 가능성을 완전히 배제할 수 없다.

7) 피해자는 피고인을 고소한 이후 첫 경찰 조사 당시 특별히 하고 싶은 말이 있냐는 마지막 질문에 대해 "피고인이 자신을 고속도로 한가운데 내려주지 않고 차량을 탑승할 수 있는 곳에 세워주고만 갔어도 신고하지 않았을 것인데 고속도로 복판에 내려주고 가버린 것에 대해 너무 화가 난다. 지금이라도 사과하면 받아줄 용의가 있다"라고 진술하였는데, 2시간 이상 트럭에 감금된 상태에서 강간을 당할 뻔하고 그 과정에서 상해까지 입게 된 피해자가 단지 피고인이 자신을 고속도로 복판에 내려준 것에 화가나 이를 주요한 동기로 하여 고소에 이르게 되었다는 것도 선뜻 이해하기 어렵다.

8) 피해자는 피고인이 강간 시도 당시 흉기를 사용한 적이 없고 피해자의 위에 올라타 손을 잡은 것 외에는 다른 폭행이나 협박이 없었다고 진술하였으나, 피해자가 일하던 주점의 운영자인 G는 사

건 발생 직후 피해자로부터 "피고인이 목을 졸랐다"는 말을 전화로 들었다고 진술하여 범행내용에 관한 진술이 서로 상반된다.

9) 위와 같은 정황에 비추어 보면, 피해자가 트럭에서 임의로 하차하는 과정에서 발목 부위 등에 상처를 입었을 가능성도 배제할 수 없다.

[결론]

따라서 이 사건 공소사실은 범죄의 증명이 없는 경우에 해당하므로, 형사소송법 제325조 후단에 의하여 무죄를 선고하되, 피고인이 무죄판결의 공시에 동의하지 아니하므로 형법 제58조 제2항 단서에 따라 판결의 요지를 공시하지는 아니한다.

[촌평]

강간치상의 경우에도 강간죄와 마찬가지로 피해자 진술의 일관성을 깨거나 범행전후의 제반사정을 살펴 강간이 아니라는 점을 밝히는 것이 중요합니다.

V. 추행의 죄

1. 강제추행

가. 법리

형법 제298조는 "① 폭행 또는 협박으로 ② 사람에 대하여 ③ 추행을 한 자는 10년 이하의 징역 또는 1천 500만원 이하의 벌금에 처한다."라고 규정하고 있습니다.

① 폭행 · 협박에 관하여, 대법원은 오래전부터 "강제추행죄는 상대방에 대하여 폭행 또는 협박을 가하여 항거를 곤란하게 한 뒤에 추행행위를 하는 경우 뿐만 아니라 폭행행위 그 자체가 추행행위라

고 인정되는 경우도 포함된다. 폭행은 반드시 상대방의 의사를 억압할 정도의 것임을 요하지 않고 상대방의 의사에 반하는 유형력의 행사가 있는 이상 그 힘의 대소강약을 불문한다(대법원 2015. 11. 12. 선고 2012도8767 판결)."

② '사람'이라고 규정하고 있으므로 남녀, 기혼 · 미혼 등을 구분하지 않습니다. 다만 피해자가 13세 미만의 사람인 경우에는 본죄보다 법정형이 더 높은 성폭력범죄의 처벌 등에 관한 특례법 제7조 제3항이 적용되고, 피해자가 신체적인 또는 정신적인 장애가 있는 사람인 경우에는 법정형이 더 높은 성폭력범죄의 처벌 등에 관한 특례법 제6조 제3항이 적용되며, 피해자가 아동 · 청소년(19세 미만)일 경우에는 법정형이 더 높은 아동 · 청소년의 성보호에 관한 법률 제7조 제1항이 적용됩니다{편집대표 김대휘 · 김신, 「주석 형법 각칙(제4권)」, 한국사법행정학회(2017), 강제추행 부분 참조}.

③ 추행이란 객관적으로 일반인에게 성적 수치심이나 혐오감을 일으키게 하고 선량한 성적 도덕관념에 반하는 행위로서 피해자의 성적 자유를 침해하는 일체의 행위를 말합니다(대법원 2015. 11. 12. 선고 2012도8767 판결). 피해자와 사이에 4촌 이내의 혈족 · 인척과 동거하는 친족 또는 동거하는 사실상의 관계에 있는 친족관계에 있는 자가 본죄를 범하였을 경우에는 법정형이 더 높은 성폭력범죄의 처벌 등에 관한 특례법 제5조 제2항이 적용됩니다.

나. 무죄 판결 연구

[○○○○법원 2019. X. X. 선고 2018고단XX 판결]

[공소사실의 요지]

1. 피고인은 2017. 3. 10. 10:00경 위 'D농장' 양돈 축사 안에서 청소 작업을 하고 있던 피해자를 보고 강제추행할 마음을 먹고 손으로 피해자의 어깨를 잡은 다음 피해자의 엉덩이를 만져서 강제로 추행하였다.

2. 피고인은 2017. 3. 10. 22:00경 위 'D농장' 숙소 식당 안에서 소파에 앉은 채로 식사를 하는 피해자를 강제추행할 마음을 먹고 피해자의 어깨 위에 손을 올린 다음 피해자를 껴안으려 하여 강제로 추행하였다.

[판단]

1) 2017. 3. 10. 10:00경 강제추행 부분에 대한 판단

피고인은 위 일시경 피해자의 신체에 피고인의 손이 접촉된 사실은 인정하나, 새끼돼지가 어미돼지에 깔려 소리를 지르는 상황에서 외국인이어서 언어소통에 어려움이 있는 피해자에게 그곳으로 빨리 가라는 의사를 표현하는 과정에서 무의식적으로 일어난 것일 뿐 추행의 의도나 고의는 없다고 주장한다. 한편 강제추행죄는 고의범으로 피고인에게 이에 대한 고의가 있어야 성립한다. 고의의 존재에 대한 증명책임은 검사에게 있고, 그 증명의 정도는 법관으로 하여금 합리적인 의심을 할 여지가 없을 정도가 되어야 한다. 당시 돼

지의 압사를 막기 위한 조치가 필요했던 긴박한 상황과 신체 접촉의 정도 등에 비추어 볼 때, 검사는 피고인의 행동이 피고인의 강제추행의 고의에 의한 것임을 법관으로 하여금 합리적 의심을 할 여지가 없을 정도로 입증하지 못하였다.

2) 2017. 3. 10. 22:00경 강제추행 부분에 대한 판단

피고인은 위 일시경 피해자와 같이 식사를 한 사실은 인정하나, 공소사실과 같은 추행 행위는 없었다고 주장한다. 한편 추행 사실에 대한 증거는 피해자의 진술이 유일하다. 살피건대, 피해자는 농장에서 같이 일한 남자 직원이 추행 사실을 목격했다고 진술한다. 그러나 피해자가 지목한 목격자로 보이는 E은 이 법원에 증인으로 나와 추행 사실을 목격한 바 없다고 증언하였다. **정황상 다른 동료가 빤히 보고 있는 자리에서 피고인이 피해자를 강제로 추행했다는 것도 쉽게 납득하기 어려운 점, 피해자의 진술 내용이 조사 기관 및 시점에 따라 변경되고 있는 점 등까지 고려할 때 피해자의 진술을 전적으로 신뢰하기는 어려운 상황이다.** 결국 검사는 법관으로 하여금 합리적 의심을 할 여지가 없을 정도로 위 일시에서 추행 행위가 있었다는 사실을 입증하지 못하였다.

[결론]

따라서 이 사건 공소사실은 범죄의 증명이 없는 경우에 해당하므로 형사소송법 제325조 후단에 의하여 무죄를 선고하되, 형법 제58조 제2항 단서에 따라 무죄판결의 요지를 공시하지 않기로 하여 주

문과 같이 판결한다.

[촌평]

강제추행의 경우 폭행을 전제로 하고 폭행 그자체가 추행이 되는 경우가 있어 자신이 가한 폭행이 추행행위에 해당하는지를 살펴 보아야 합니다. 다만 **객관적으로 추행행위로 보이는 행위가 있었다 하더라도 그것이 추행의 고의로 이루어 진 것이 아니라면 무죄를 선고받을 수 있습니다. 따라서 행위 자체가 추행행위에 해당하더라도 추행에 관한 고의가 없다면 이 부분을 집중적으로 변론하는 것이 매우 중요합니다.**

[○○○○법원 2012. X. X. 선고 2012고정XX 판결]

[공소사실의 요지]

피고인은 2011. 8. 17. 01:00경 충북 청원군 C 소재 피해자 D이 근무하는 E주점홀에서 피해자를 강제추행 할 마음을 먹고, 갑자기 뒤에서 양팔로 피해자를 껴안고 가슴과 등 부분을 더듬어 그녀를 강제로 추행하였다.

[판단]

살피건대, 피해자 D은 고소장 및 최초 경찰조사에서는 2011. 8. 16. 01:00경 아들(F)이 있는 상태에서 강제추행을 당하였고 2011. 8. 17. 아무도 없는 상태에서 다시 강제추행을 당했다고 진술하였으나, 이후 경찰조사 및 법정에서는 위 강제추행을 당한 순서가 바

꿔었다고 진술하고 있다. 그런데 F의 법정진술 및 피고인의 휴대전화 발신내역(피고인 신청 증거 순번 1)을 보면 피고인이 피해자의 아들인 F을 만나 충북 청원군 I에서 술을 마시다가 다음날 새벽 01:00 무렵에 피해자 D이 근무하는 E주점로 가 강제추행을 한 일시는 2011. 8. 16. 01:00경으로 보여 이 부분 공소사실에 기재되어 있는 강제추행의 일시가 피해자의 법정진술과 일치하지 않는다.

그렇다면 이 부분 공소사실은 범죄의 증명이 없는 경우에 해당하므로 형사소송법 제325조 후단에 의하여 무죄를 선고한다.

2. 준강제추행

가. 법리

앞서 준강간과 기본적인 법리가 같습니다. 형법 제299조는 "① 사람의 ② 심신상실 또는 항거불능의 상태를 이용하여 ③ 간음 또는 추행을 한 자는 제297조(注. 강간), 제297조의2(注. 유사강간) 및 제298조(注. 강제추행)의 예에 의한다."라고 규정하고 있습니다.

① 본 규정은 '사람'이라고 규정한바 객체에 어떠한 제한이 없으나, 피해자가 13세 미만인 경우 본죄보다 법정형이 더 높은 성폭력범죄의 처벌 등에 관한 특례법 제7조 제4항이 적용되고, 피해자가 신체적인 또는 정신적인 장애로 항거불능 또는 항거곤란한 사람인 경우에는 법정형이 더 높은 성폭력범죄의 처벌 등에 관한 특례법 제6조 제4항이 적용될 것이며, 피해자가 아동·청소년(19세 미만의 자)일 경우에는 법정형이 더 높은 아동·청소년의 성보호에 관한 법률 제7조 제4항이 적용됩니다{편집대표 김대휘·김신, 「주석 형법 각칙(제4권)」, 한국사법행정학회(2017), p.256}.

② 심신상실이란 정신장애 또는 의식장애 때문에 성적행위에 관하여 정상적인 판단을 할 수 없는 상태를 말하고, 항거불능이란 심신상실 이외의 원인 때문에 심리적 또는 물리적으로 반항이 불가능한 경우를 말합니다{편집대표 김대휘·김신, 「주석 형법 각칙(제4

권)」, 한국사법행정학회(2017), p.257-258}.

③ 간음 또는 추행을 한 자는 앞서 말씀드린 바와 같습니다. 다만 가해자가 피해자와 사이에 4촌 이내의 혈족·인척과 동거하는 친족 또는 동거하는 사실상의 관계에 있는 친족관계에 있는 자가 본죄를 범하였을 경우에는 법정형이 더 높은 성폭력범죄의 처벌 등에 관한 법률 제5조 제3항이 적용됩니다{편집대표 김대휘·김신, 「주석 형법 각칙(제4권)」, 한국사법행정학회(2017), p.255}.

나. 무죄 판결 연구

[○○○○법원 2021. X. X.자 2020고단XX]

(1) 피고인은 2019. 8. 26. 03:30경 위 1항 기재 펜션 방 안에서, 술에 취해 그곳 침대에서 잠을 자고 있는 피해자의 옆에 누워 피해자의 손을 피고인의 성기 부위에 올려놓고, 왼손으로 피해자의 왼쪽 가슴을 만지고 오른손으로 피해자의 속옷 안으로 손을 넣어 엉덩이 뒷부분을 만지며, 입으로 피해자의 왼쪽 얼굴 빨았다.

(2) 피고인은 2019. 8. 26. 09:20경 위 1항 기재 펜션 방 안에서, 그곳 침대에서 잠을 자고 있는 피해자의 옆에 누워 손으로 피해자의 손을잡아 피고인의 성기 위에 올려놓았다.

이로써 피고인은 총 2회에 걸쳐 피해자의 항거불능 상태를 이용하여 피해자를 추행하였다. (...)

(2) 각 준강제추행 사이의 행적에 관한 피해자 진술의 신빙성

그런데 피해자는 2019. 8. 26.에 발생하였다고 주장하는 각 준강제추행 사이의 행적에 관하여, '2019. 8. 26. 03:30경 깨어 보니 피고인이 손으로 내 가슴을 만지는 등 추행하고 있어 놀라서 침대에서 일어나 침실 밖으로 나왔는데, 언니들인 F과 G은 잠을 자고 있어 도움을 받을 수 없었다. 그래서 부엌과 출입문 사이에 있던 붙박이장 안에 들어가 문을 닫고 숨어 있었다. 이후 06:30경 붙박이장에서 나와 피고인이 떠난 것을 확인하고 다시 침대로 돌아와 잠이 들었는데, 그 자리에서 같은 날 09:20경 피고인으로부터 다시 추행을 당한 것이다'고 진술하였다. 즉 피해자는 새벽과 아침에 각 일어난 준강제추행 사이에 방 밖으로 나와 붙박이장에 숨어 있었고, 피고인이 나간 후 붙박이장에서 나와 침대에서 잠을 잤다고 진술한 것이다.

그러나 이러한 피해자의 진술과 달리 당시 함께 펜션을 이용한 F은 이 법정에 증인으로 출석하여 '2019. 8. 26. 04:00경까지 거실에서 술을 마시며 깨어 있었는데, 새벽에 피해자가 깨어 침실 밖으로 나오는 것을 보지 못하였다'고 진술하였다. 또한 당시 모임에 참석하였던 H 역시 이 법정에 증인으로 출석하여 '2019. 8. 26. 03:00에서 04:00사이 안경을 찾으러 방 안으로 들어가 불을 켜고 살펴 보았는데 침대 위에 피고인과 피해자, 그리고 I이 같이 있었

고, 피고인은 자신의 배에 손을 올리고 있었다. 그리고 그날 아침에 일찍 출발해야 해서 06:00경 피고인에게 운전을 부탁하러 갔을 때에도 침대 위에 피고인과 피해자, I이 여전히 함께 있었다. 나는 새벽부터 아침까지 거실에서 깨어있으면서 그림을 그리고 있었는데, 피해자가 침실 밖으로 나오는 것이나 붙박이장으로 가는 모습을 전혀 보지 못하였다'고 진술하였다. 이러한 H의 증언은 수사기관에서의 진술과도 일치하는 것으로 특히 미대에 재학 중인 H은 당시 피고인과 피해자가 사건 당일 새벽에 침대에 누워 있는 모습을 그대로 스케치해 두었는바(증거기록 제156면) 이에 부합하는 진술의 신빙성이 높다.

이와 같이 2019. 8. 26. 새벽 준강제추행이 있었던 후에 침대 밖으로 나와 붙박이장 안에 숨어 있었다는 피해자의 진술은 동행자들의 진술, 동행자들이 펜션을 나선 상황, 당시 현장을 담은 스케치 등과 크게 상반되어 이를 그대로 믿기 어렵다. 이 부분 피해자의 진술은 단순히 동일한 사실을 다르게 묘사하거나 일의 선후에 혼선이 있는 정도에 그치는 것이 아니고 중요한 사건의 경과로서 착오하기 어려운 내용에 관하여 납득하기 어려운 진술을 하고 있는 것이다.

(3) 피고인 진술의 신빙성

반면 당시 상황에 관하여 피고인은 'H이 F에 불려 나간 후 침대 위에 나와 피해자만 남게 되었다. 피해자는 먼저 내 쪽으로 돌아

누우면서 몸을 붙여 왔는데, 다른 사람들이 오해할 수도 있어 피해자의 몸을 살짝 밀어 내었다. 이후 몇차례 피해자가 내게 몸을 붙여 왔고, 방문이 닫히고 조용해졌을 때 피해자가 자신의 상의를 들어 올려 배가 보이는 상태로 몸을 붙여왔다. 피해자의 머리카락이 내 얼굴에 닿아 피해자의 머리카락을 넘겨준 뒤 이불을 덮어 주고 남은 이불을 말아서 나와 피해자 사이에 두어 피해자가 넘어오지 못하게 하였다. 피해자는 말아둔 이불 밑을 통해 내 쪽으로 손을 내 밀어 내 손을 피해자 쪽으로 가져갔다. 그럼에도 내가 별다른 반응이 없자 피해자는 갑자기 상체를 일으켜 앉은 뒤 가만히 있다가 한숨을 쉰 후 돌아 누웠다. 이후 새벽 6시경 핸드폰을 하고 있는데 F과 H이 들어와 정류장까치 차를 태워 달라고 하여 데려다 주었다'고 주장한다. 이러한 피고인의 진술은 수사단계에서부터 일관된 것으로 동행자들의 진술과 일치하는 것일 뿐만 아니라 단순히 피해자가 먼저 적극적인 태도를 보였다며 책임을 전가하기 위한 막연한 내용의 것이 아니고 당시 상황에 관하여 직접 경험한 내용이 아니면 알기 어려운 부분에 관하여 구체적으로 설명하는 것이어서 그 신빙성을 인정할 수 있다.

(4) 강제추행에 관한 피해자 주장의 신빙성

또한 피해자는 강제추행에 관하여 '펜션에서 다 같이 술자리를 하던 중 옆자리에 앉아 있던 피고인이 다리에 멍이 있다며 수차례 다리를 만졌다'고 진술한다. 그러나 피고인은 전혀 그러한 사실이 없다고 주장하고, 실제로 피고인이 피해자 다리에 멍을 지적하며 다리를 만지는 장면을 본 목격자는 확인되지 아니하였다. 당시 피고인과 피해자 일행이 머문 펜션의 방에는 약 10명의 사람들이 서로 무릎이 닿을 정도의 거리로 조밀하게 모여 있었던 점을 고려해 볼 때 피고인이 피해자의 다리를 함부로 만지기도 어려웠을 것으로 보일 뿐만 아니라 만졌을 경우에 이를 주변에서 전혀 목격하지 못하였다는 것은 선뜻 수긍하기 어렵다.

(5) 귀가 시 피해자의 행동에 관하여

이 법원이 적법하게 채택하여 조사한 증거에 의하면, 피고인과 피해자를 포함한 6명의 일행은 피고인이 운전하는 차를 타고 서울에 도착하였고, 잠실 J에서 함께 점심을 먹은 사실, 점심을 먹은 후에는 다 같이 J 내부의 매장들을 둘러 보고 코인노래방에서 노래를 부르며 어울린 사실, 이후 집이 가까운 1명을 제외하고 피고인과 피해자를 포함한 5명은 피고인의 차량으로 귀가하였는데, 목동에서 다른 일행들이 내린 것을 마지막으로 피고인과 피해자가 피해자의 주거지인 광명시까지 피고인의 차량으로 이동한 사실, 이후 피해자는 자신의 K 계정에 피고인 등 일행과 함께 잠실 J에서 같이 점심을 먹은 사진을 올리면서 피고인의 계정을 연동시킨 사실을 확인할 수 있다.

피고인과 피해자 일행이 다녀온 펜션이 경기 가평군에 위치하여 서울로 돌아오는 교통편이 마땅치 않았다고 하더라도 피해자가 잠실에 도착한 이후까지 피고인 등과 함께 어울려 시간을 보낸 점이

나 잠실에서부터 피해자의 주거지인 광명시까지 이동할 때 다른 이동수단을 이용하지 아니하고 피고인의 차량을 타고 이동한 것은 피해자가 주장하는 바와 같은 추행행위가 이루어진 상황에서의 일반적인 행동으로 선뜻 이해하기 어렵다. 당시 피해자가 주변에게 피해사실을 당장 알리기 곤란하였다고 하더라도 피고인의 차량에서 내린 후 돌아와서 피해자의 K에 다같이 찍은 사진을 올리면서 피고인의 계정을 연동시킨 사실 또한 통상적인 경험칙에 비추어 볼 때 납득하기 어렵다.

(6) 소결

사정이 이러하다면 추행장면이 담긴 자료나 목격자 등 다른 증거가 없는 이 사건에서 피고인으로부터 공소사실의 요지와 같이 3회에 걸쳐 강제추행 또는 준강제추행을 당하였다는 피해자의 진술은 당시 모임이 진행된 상황과 다른 참석자들의 진술내용 및 전후 사건의 경과에 비추어 볼 때 신빙성이 부족하여 이를 그대로 믿기 어렵고, 검찰이 제출한 증거들만으로는 피고인이 피해자를 추행하였다는 공소사실이 합리적 의심이 여지 없이 증명되었다고 볼 수 없다.

[결론]

그렇다면 이 사건 공소사실은 범죄의 증명이 없는 경우에 해당하므로 형사소송법 제325조 후단에 의하여 피고인에게 무죄를 선고하고, 형법 제58조 제2항 본문에 따라 이 판결의 요지를 공시하기로 하여 주문과 같이 판결한다.

[촌평]

강간치상의 경우 강간의 기회에 상해의 결과가 발생하여야 하므로 강간이 성립되지 않는다면 강간치상도 될 수 없다는 취지의 판결입니다. 강간치상으로 고소당한 경우 성해위 자체가 도저히 강간이 아니라고 생각된다면 상해 여부를 다투기 보다는 강간죄의 성립 여부를 먼저 따져보아야 합니다.

3. 공중밀집장소추행

가. 법리

성폭력범죄의 처벌 등에 관한 특례법 제11조는 “① 대중교통수단, 공연·집회 장소, 그 밖에 공중(公衆)이 밀집하는 장소에서 ② 사람을 추행한 사람은 3년 이하의 징역 또는 3천만원 이하의 벌금에 처한다.”라고 규정하고 있습니다.

① 그 밖에 공중이 밀집하는 장소는 현실적으로 사람들이 빽빽이 들어서 있어 서로간의 신체적 접촉이 이루어지고 있는 곳뿐만 아니라, 찜질방 등과 같이 공중의 이용에 상시적으로 제공·개방된 상태에 놓여 있는 곳 일반을 포함합니다(대법원 2009. 10. 29. 선고 2009도5704 판결).

② 본죄는 강제추행죄와는 달리 폭행 또는 협박은 요건이 아닙니다. 따라서 소위 기습추행의 요건을 갖추지 못한 경미한 정도의 추행인 경우에도 본 죄가 성립합니다. 피해자의 다리를 더듬거나 엉덩이를 만지는 경우를 모두 포함합니다. 여기에서 추행은 일반인을 기준으로 객관적으로 성적 수치심이나 혐오감을 일으키게 하고 선량한 성적 도덕관념에 반하는 행위로서 피해자의 성적 자기결정권을 침해하는 것을 말합니다{이주원, 『특별형법(제9판)』, 홍문사(2023), p.510-512}.

나. 무죄 판결 연구

[○○○○법원 2014. X. X. 선고 2013고단XX 판결]

[공소사실의 요지]

가. 피고인은 2012. 10. 12. 19:00 ~ 20:00경 부산도시철도 1호선 노포 방면으로 진행하는 전동차가 동대신역 부근을 지날 무렵 전동차 내 좌석에 앉아 휴대전화로 '카카 오톡'을 하고 있는 피해자 C(여, 29세)의 바로 앞에 서서 "문자를 빌려 줄 수 있냐?"며 말을 걸었다가 피해자가 피고인의 얼굴을 쳐다보며 싫다고 말하자, 피해자의 얼굴에 **입김을 세게 불어,** 주위적으로 공중이 밀집하는 장소에서 피해자를 추행하고, 예비적으로 피해자를 폭행하였다.

나. 피고인은 2012. 11. 하순 19:00 ~ 20:00경 부산도시철도 1호선 괴정역에서 대티역으로 진행하는 전동차 내에서, 좌석에 앉아 있는 피해자의 바로 앞에 서서 **피해자의 귀 부위에 입김을 세게 불어**, 주위적으로 공중이 밀집하는 장소에서 피해자를 추행하고, 예비적으로 피해자를 폭행하였다.

다. 피고인은 2013. 4. 23. 20:30경 부산도시철도 괴정역 대합실에서 귀가하기 위해 걸어가는 피해자에게 "저기 도서관에 갈려면 어디로 가야해요?"라며 말을 걸었으나, 피해자가 "모르겠는데요."라고 대답하자, **피해자의 얼굴을 향해 입김을 세게 불어**, 주위적으로 공중이 밀집하는 장소에서 피해자를 추행하고, 예비적으로 피해자를 폭행하였다.

[판단]

가. 기본 사실관계의 인정 (...)

나. 주위적 공소사실(공중밀집장소에서의 추행)에 대한 판단

(...) (2) 피고인이 피해자의 얼굴이나 귀에 입김을 분 것이 다소 기이하고, 피해자로서도 불쾌감을 느꼈을 것이라는 점은 이해된다. 그러나 피고인이 한 행동의 전부는 입김을 분 것에 지나지 않고, 또 이러한 행동을 하기 전에 "문자를 빌려 줄 수 있냐?"라든가, "저기 도서관에 갈려면 어디로 가야해요?"라는 등의 질문을 하였으나 피해자가 싫다거나 모르겠다는 등 피고인으로서는 서운하게 느낄 답변을 듣게 되자, 이에 대한 **항의의 의미로 입김을 분 것**으로 보인다.

피고인의 행동으로 인해 피해자가 불안하거나 귀찮고 불쾌하였을 가능성 있고, 또 경우에 따라서는 피고인이 피해자에게 이성적 호감을 가지고 피해자의 의사에 반하여 지속적으로 접근을 시도한 것으로 볼 여지도 있다. 그러나 앞서 인정한 피고인의 행동이 객관적으로 일반인에게 성적 수치심이나 혐오감을 일으키게 하고 선량한 성적 도덕관념에 반하는 행위로서 피해자의 성적 자유를 침해할 정도에 이르렀다고 보기에는 의문이 있다. 제출된 증거만으로는 피고인이 피해자를 추행하였다는 사실을 인정하기에 부족하다. (...)

[촌평]

공중밀집장소추행의 경우 새로운 성범죄 유형에 해당합니다. 다만 성범죄로서의 본질은 기존의 성범죄들과 동일하므로 문제가 되는 행위가 피해자에게 성적 수치심이나 혐오감을 일으키는 행위인지 (성적 자유의 침해)를 신중히 판단해 보아야 합니다.

[○○○○법원 2022. X. X. 선고 2021고단XX 판결]

[공소사실의 요지]

피고인은 2021. 1. 22. 09:40경 서울시 동작구 B, C역에 도착하는 지하철 4호선 상행(당고개행) 전동차 10-3칸 내에서 피해자 D (여, 가명) 뒤에서 하차하며 양손을 뻗어 피해자의 옆구리 부위를 감싸안아 만졌다.

이로써 피고인은 위와 같은 방법으로 공중밀집 장소인 지하철 내에서 피해자를 추행하였다.

[피고인 및 변호인의 주장]

피고인은 이 사건 당시 탑승객이 많은 혼잡한 지하철 상황에서 불가피하게 피해자와 신체적 접촉이 있었을지는 몰라도 피해자를 고의로 추행한 사실은 없다.

[판단]

이 사건 공소사실에 대한 직접적인 증거는 피해자의 진술이 유일하고, 뒤에서 보는 바와 같이 피해자의 각 진술을 종합하면, 피고인의 왼손 손바닥이 피해자의 왼쪽 허리를 움켜잡는 것이 아니라 피해자 쪽으로 힘을 가하는 신체 접촉이 있었다는 것인데, 이러한 피해자의 신체 접촉에 대한 진술은 일관되고 믿을 만하다(특별히 피해자가 피고인을 무고할 동기는 찾기 어렵다).

그러나 피해자의 각 진술 및 다른 증거들에 의하여 알 수 있는 다음과 같은 사정을 종합하여 보면, 혼잡한 객차 안에서 불가피하게 피고인의 왼손이 피해자의 왼쪽 허리 부위를 접촉하였을 가능성을 배제할 수 없는바, 검사가 제출한 증거들만으로는 피고인이 고의로 피해자를 추행하였다는 점이 합리적 의심 없이 증명되었다고 보기 어렵고, 달리 이를 인정할 증거가 없다.

가. 피해자 진술에 의한 신체접촉 방법

피해자는 수사기관 및 법정에서 범행 당시 상황에 관하여 아래 표의 기재와 같이 진술하였다. (...) 위와 같은 피해자의 진술을 종합해 보면, 이 사건 공소사실 기재와 달리 피고인이 '양손'이 아니라 '왼손'으로, 피해자의 '양 허리를 움켜잡는 방법' 아니라 '왼쪽 허리를 손바닥으로 움켜잡는 것이 아니라 피해자 쪽으로 힘을 가하는 방법'으로 추행당하였다는 것이다(이 사건 공소사실은 피해자가 뒤에서 보는 바와 같이 이 사건 전날 있었던 추행과 혼동하여 진술한 부분에 근거한 것으로 보인다). 공소사실 기재와 같이 양손으로 피해자의 옆구리 부위를 감싸 안았다면, 혼잡한 지하철 내의 상황에도 불구하고 고의적인 추행행위로 평가받을 가능성이 높지만, 피해자의 진술과 같이 한 손으로 허리에 힘을 가하는 정도의 접촉이라면 불가피한 신체적 접촉으로 판단될 여지가 커진다.

나. 형사사건화되게 된 경위에 비춘 신체접촉의 강도

피해자가 피고인이 추행의 고의로 자신의 신체를 접촉하게 되었다고 '확신'하게 된 계기는 사건 직후 피해자가 피고인을 따라가며 물어보았음에도 피고인이 이에 관해 아무런 반응을 보이지 않았기 때문이다(증거기록 17쪽, 증인신문 녹취록 18쪽). 결국 뒤집어 말하면, **만약 피고인이 제대로 대응을 했다면, 피해자로서도 더 이상 문제를 제기하지 않았을 정도의 애매한 신체접촉**이었다는 말이 된다.

다. 추행을 전제로 했을 때 발생하는 추행부위의 이례성

혼잡한 밀집장소에서 자신의 성적 갈망을 은밀하고 변태적인 방법으로 충족하기 위해 범해지는 공중밀집장소 추행 범행의 특성상, 그 통상적인 범행의 태양은 가해자가 ① 자신의 성기를 피해자의 신체부위에 접촉시킨다거나 ② 피해자의 가슴, 엉덩이나 음부 등 내밀한 신체부위 혹은 맨살로 들어나 있거나 얇은 옷을 착용한 팔이나 다리 등을 가해자가 손으로 만지거나 다른 신체부위가 닿게 하는 경우가 대부분이다. 이 사건은 겨울의 두꺼운 코트를 입고 있는 피해자의 '왼쪽 옆구리 부위'를 피해자 쪽으로 힘을 가하는 방법으로 만졌다는 점에서 통상적인 밀집장소에서의 추행의 태양과는 차이가 있다. 즉, 접촉한 신체부위, 접촉의 방법과 그 강도 등에 비추어 이례적으로 평가될 여지가 충분하다.

라. 당시 피해자의 심리상태

피해자는 이 사건 공소사실 기재 일시 전날인 2021. 1. 21. 같은 지하철 내에서 누군가에 의하여 양쪽 허리를 잡히는 추행을 당하였고, 그로 인하여 이 사건 공소사실 기재 일시에는 평소보다 예민한 상태로 주위를 더 경계하고 있었다. 따라서 혼잡한 지하철 내에서의 부득이한 신체접촉을 평소와는 다르게 추행으로 오인하였을 개연성을 배제할 수 없다.

마. 불가피한 신체접촉이 발생할 가능성의 존재

피고인은 하차하는 인파에 떠밀려 피해자의 허리에 팔이 닿았을 수는 있겠지만, 고의적으로 피해자의 옆구리를 만지지는 않았다고 비교적 일관되게 변소하고 있는바, **당시 지하철의 내부는 불가피한 신체접촉이 있어도 이상하지 않을 정도로 혼잡한 상태**였으므로(피해자에 대한 증인신문 녹취서 21쪽), 앞서 살펴 본 사정에 비추어 위와 같은 피해자의 진술만으로는 피고인의 변소를 배척하기는 어렵다.

[결론]

따라서 이 사건 공소사실은 모두 범죄사실의 증명이 없는 경우에 해당하여 형사소송법 제325조 후단에 따라 무죄를 선고하되 형법 제58조 제2항 단서에 따라 판결의 요지를 공시하지 않기로 하여 주문과 같이 판결한다.

[촌평]

공중밀집장소추행의 경우에도 기존의 성범죄들과 동일한 실질을 가지므로 **피해자 진술의 일관성을 깨거나 범행전후의 제반사정상 추행행위가 되지 않는다는 점을 입증하는 등의 방법**으로 대응을 해야할 필요가 있습니다.

4. 업무상 위력에 의한 추행

가. 법리

성폭력범죄의 처벌 등에 관한 특례법 제10조 제1항은 "① 업무, 고용이나 그 밖의 관계로 인하여 자기의 보호, 감독을 받는 사람에 대하여 ② 위계 또는 위력으로 ③ 추행한 사람은 3년 이하의 징역 또는 1천500만원 이하의 벌금에 처한다."라고 규정하고 있습니다.

① 업무, 고용, 기타 관계로 인하여 자기의 보호 · 감독을 받는 사람에 있어서, 보호 · 감독의 원인은 업무관계 · 고용관계는 물론 신분관계 등 기타 관계도 포함하고, 사실상의 보호 · 감독관계도 포함하며, 공적 업무는 물론 사적 업무도 포함합니다. 특히 직장 안에서 사실상 보호 또는 감독을 받는 상황에 있는 사람뿐만 아니라 채용 절차에서 영향력의 범위 안에 있는 사람도 포함됩니다{대법원 2020. 7. 9. 선고 2020도5646 판결, 이주원, 『특별형법(제9판)』, 홍문사(2023), p.505-506}.

② 위계란 상대방을 착오에 빠뜨려 정상적인 성적 판단을 어렵게 하는 것을 말하고, 여기에서 착오(오인 · 착각 · 부지)는 간음행위 자체일 수도 있고, 감음행위에 이르게 된 동기 · 대가와 같은 요소일 수도 있습니다(대법원 2020. 8. 27. 선고 2015도9436 판결). 위력이란 피해자의 자유의사를 제압하기에 충분한 힘을 말합니다.

③ 추행이란 객관적으로 일반인에게 성적 수치심이나 혐오감을 일으키게 하고 선량한 성적 도덕관념에 반하는 행위로서 피해자의 성적 자유를 침해하는 것을 말합니다(대법원 2005. 7. 14. 선고 2003도7107 판결). 본 죄는 강제추행의 한 유형으로서의 기습추행의 요건을 갖추지 못한 '경미한 정도의 추행'인 경우에 성립하고, 행위자가 먼저 폭행 · 협박으로 반항을 억압하거나 곤란하게 한 경우 또는 폭행 그 자체가 곧바로 강제추행죄의 추행이라고 인정되는 경우에는 강제추행죄가 성립합니다{이주원, 『특별형법(제9판)』, 홍문사(2023), p.508}.

나. 무죄 판결 연구

[○○○○법원 2015. X. X. 선고 2014고단XX 판결]

[공소사실의 요지]

피고인은 2013년 8월 중순 오후경 판시 범죄사실 기재 'G' 사무실에서 피해자 C가 어깨띠 디자인 작업을 하던 중 상호명이 인쇄될 위치를 묻자 피고인의 양손을 피해자의 양쪽 가슴 가까이에 대면서 "이 정도에 하면 되겠네."라고 말하여 피해자를 보호, 감독하여야 할 지위를 이용하여 위력으로 피해자를 추행하였다.

[판단]

검사가 제출한 증거만으로는 피고인의 행위가 성폭력범죄의 처벌 등에 관한 특례법 제10조 제1항에서 정한 '추행'에 해당한다고 인정하기 어렵고, 달리 이를 인정할 증거가 없다.

따라서 이 부분 공소사실은 범죄의 증명이 없는 경우에 해당하므로, 형사소송법 제325조 후단에 의하여 무죄를 선고한다.

[○○○○법원 2021. X. X. 선고 2021고정XX 판결]

1. 이 부분 공소사실의 요지

피고인은 'B'이라는 상호의 맥주전문점을 운영하는 사람이고, 피해자 C(가명, 여, 23세)은 위 가게의 아르바이트 종업원이다.

가. 2020. 2. 18. 21:00경 범행

피고인은 2020. 2. 18. 21:00경 파주시 D 3층 소재 피고인 운영의 'B' 가게 안에서 근무 중이던 피해자를 카운터 앞으로 불러낸 후 피해자에게 다가가 오른팔을 피해자의 어깨 위로 올려 피해자의 목을 어깨동무 하듯이 감고 피고인 방향으로 피해자를 당기는 방법으로 고용관계로 인하여 피고인의 보호, 감독을 받는 피해자를 위력으로 추행하였다.

나. 2020. 2. 18. 23:04경 범행

피고인은 2020. 2. 18. 23:04경 같은 장소에서 근무 중인 피해자의 등 뒤로 접근하여 피해자의 허락 없이 양손으로 피해자의 어깨를 주무르는 방법으로 고용관계로 인하여 피고인의 보호, 감독을 받는 피해자를 위력으로 추행하였다.

다. 2020. 2. 21. 21:37경 범행

피고인은 2020. 2. 21. 21:37경 같은 장소에서 다트 게임을 하고 있는 손님들을 보고 있는 피해자에게 다가가 왼팔을 피해자의 어깨 위에 올려 피해자의 목을 어깨동무 하듯이 감는 방법으로 고용관계로 인하여 피고인의 보호, 감독을 받는 피해자를 위력으로 추행하였다.

[판단]

이 사건 공소사실에 부합하는 증거로는 피고인에게 위 공소사실 기재 행위(어깨동무하거나 어깨를 주무르는 행위 등)에 대하여 거부의사를 표시하였으나 피고인이 그러한 행동을 계속하였다는 취지의 피해자 C(가명)의 진술이 있다[증인 E의 법정진술 중 C(가명)의 진술을 내용으로 한 부분은 형사소송법 제316조 제2항의 전문진술로서 원진술자인 C(가명)이 사망, 질병, 외국거주, 소재불명 등의 사유로 인하여 진술할 수 없는 때에 해당하지 않으므로 그 증거능력을 인정할 수 없다].

그러나 이 법원이 적법하게 채택하여 조사한 증거들(CCTV 영상)에 의하여 인정되는 다음 사정들, 즉 ① 피해자가 피고인의 가게에 일을 하게 된 것은 오래되지는 않았으나 일하는 기간 동안 피해자는 스스럼없이 피고인의 어깨를 주무르거나 피고인에게 기대는 등의 신체 접촉을 하였던 것으로 보이는 점, ② 이 사건 장소인 피고인이 운영하였던 펍은 다트게임을 할 수 있는 장소와 맥주를 마시는 장소가 이어져 있어 사람들이 누구나 볼 수 있는 오픈된 구조였던 점, ③ 증인 F, G는 이 법원에 증인으로 출석하여 피해자가 피고인의 배를 만지거나 기대는 등 적극적으로 스킨십을 했다고 일관되게 진술한 점, ④ 피해자는 피고인이 어깨동무를 했을 때 오히려 자신의 왼손으로 피고인의 팔을 잡아당기거나 얼굴 가까이로 가져오기도 하였던 점을 종합하면, 검사가 제출한 증거만으로는 이 부분 공소사실 기재 피고인의 행위가 피해자의 성적 자유를 침해하는 것으로서 일반인의 입장에서 도덕적 비난을 받을 추행행위라고 보기 어렵고, 변론에 나타난 피고인과 피해자의 관계, 사건 당시 전후 상황 등에 비추어 볼 때 피고인이 피해자에 대하여 위력을 사용하여 피해자를 추행하였음이 합리적 의심의 여지 없이 증명되었다고 보기도 어렵다.

그렇다면 이 부분 공소사실은 범죄의 증명이 없는 경우에 해당하므로 형사소송법 제325조 후단에 따라 피고인에 대하여 무죄를 선고하고, 형법 제58조 제2항 단서에 따라 위 무죄판결의 요지는 공시하지 않는다.

[촌평]

<u>업무상 위력에 의한 추행의 경우 무죄를 주장하기 위해서는 가해자와 피해자의 관계를 따져 보아야 합니다. 고용인이 피고용인에 대해 추행을 할 경우 본 죄의 성립여부가 문제될 수 있으므로 이에</u>

관한 검토가 우선적으로 필요합니다. 또한 피해자가 평소 가해자와 스스럼 없이 스킨십을 하였던 관계라면 이는 무죄 선고의 강력한 근거가 되므로 목격자의 확보 같은 적극적인 증거수집활동이 요구됩니다.

Ⅵ. 특수한 성범죄

1. 조건만남(성매매)

가. 법리

성매매알선 등 행위의 처벌에 관한 법률 제21조는 "성매매를 한 사람은 1년 이하의 징역이나 300만원 이하의 벌금·구류 또는 과료(科料)에 처한다."라고 규정하고 있고, 여기에서 '성매매'란 "불특정인을 상대로 금품이나 그 밖의 재산상의 이익을 수수(收受)하거나 수수하기로 약속하고 다음 각 목의 어느 하나에 해당하는 행위를 하거나 그 상대방이 되는 것 가. 성교행위 나. 구강, 항문 등 신체의 일부 또는 도구를 이용한 유사 성교행위"을 말합니다(동법

제2조 제1항 제1호).

나. 무죄 판결 연구

[○○○○법원 2022. X. X. 선고 2021고정XX 판결]

[이 사건 공소사실]

피고인은 2020. 3. 7. 02:23경부터 같은 날 03:24경 사이 경북 예천군 B 오피스텔 C호에서 D이 E을 통해 연락하여 만나게 된 태국 국적 성매매업소 여자 종업원인 F에게 11만 원을 주고 그녀와 성교행위를 하여 성매매를 하였다.

[판단]

이 법원이 채택하여 조사한 증거들에 의하면, 피고인이 공소사실 기재 일시에 위 오피스텔 C호를 방문하여 1시간 가량 머문 사실, 위 오피스텔은 성매매 영업이 이루어지는 곳이고, 피고인의 성매매 대가로 11만 원이 업주에게 지급된 사실이 인정된다. 또한 성매매 대가 지급 여부나 방법 등 중요한 부분에 관한 피고인의 진술이 일관되지 않은 부분도 있다. 이러한 사실이나 사정을 놓고 볼 때 피고인이 공소사실 기재와 같이 성매매를 하였을 가능성에 대한 의구심이 들기는 한다. (...) ① 피고인은, D의 권유를 받고 호기심을 느껴 함께 오피스텔로 갔으나 성관계는 하지 않고 TV를 보는 등으로 시간을 보냈을 뿐이라고 주장하고 있다. 막상 도착하고 보니 종업원이 외국인이고 분위기가 좋지 않았으며 자신이 공무원임이 새삼 생각났다는 등의 이유를 들고 있다. 성매매 업소에 자발적으로 찾아가 예정된 시간을 모두 보낸 사람의 행동으로 일반적이라고 할 수는 없지만, 다른 한편으로 그 주장이 경험칙상 받아들이기 힘들 정도로 이례적이라고까지 단정하기도 어렵다.

② 피고인의 성매매 여부를 확인할 수 있는 가장 직접적인 증거는 상대방 여자 종업원의 진술이 될 수 있을 것이다. 그러나 해당 종업원은 수사기관에서 해당 오피스텔에서 성매매가 이루어졌다는 내용에 관한 일반적 진술만 하였을 뿐, 진술 내용에서 피고인이 그곳에서 실제 성매매를 하였는지 여부를 추론할 만한 내용을 찾을 수 없다. 해당 여자 종업원에 대한 경찰 조사가 이루어진 시점은 피고인이 피의자로 특정되기 전이기도 하다.

③ 성매매 대금은 피고인이 아닌 동행한 D이 피고인의 것까지 미리 지급하였다. 성매매가 이루어졌음을 전제로 피고인이 직접 대금을 지급한 사안과는 다른 측면이 있다. 그리고 대금이 지급된 이상, 실제 성교행위 등을 하지 않고 시간만 보내더라도 종업원에게는 별다른 이해관계가 없다. **따라서 예정된 시간동안 그곳에 있었다는 것이 반드시 성교행위 등을 하였다는 의미가 되지는 않는다.** 또한 이미 친구인 D이 호의로 피고인의 대금을 지급한 상황에서, 피고인이 성매매를 하지 않기로 마음먹었다고 해도 즉시 외국인 종업원에게 환불을 요구하고 그곳을 벗어나지 않은 것이 이례적인 행동이라고 하기도 어렵다.

3. 결론

그렇다면 이 사건 공소사실은 범죄의 증명이 없는 때에 해당하므로 형사소송법 제325조 후단에 의하여 무죄를 선고하고, 형법 제58조 제2항에 따라 판결의 요지는 공시하지 아니한다.

[촌평]

성매매의 경우 새로운 유형의 성범죄가 됩니다. 최근 성매매업소들의 경우 성매수자의 신분 확인 절차를 거치고 이를 보관하고 있으므로 추후 성매매업소에 대한 단속이 있을 경우 이에 관한 처벌을 받을 가능성이 매우 높습니다. 이 경우 수사기관에서 연락이 오면 당황하지 말고 수사상황을 살피면서 종업원의 진술 외에 CCTV와 같은 객관적인 증거들이 있는지를 먼저 파악하고 만약 그러한 증거들이 없다면 일관되게 범행을 부인하는 것이 무죄 선고에 도움이 될 것입니다.

[OOOO법원 2011. X. X. 선고 2010고정XX 판결]

[공소사실]

피고인 장@@은 2010. 1. 3. 23:20경 대구 **구 **동에 있는 상호를 알 수 없는 모텔 불상의 호실에서, 권@@에게 성교행위 대가로 10만 원을 제공한 후 권@@과 2회 성교하여 성을 사는 행위를 하였다.

[피고인 장@@의 주장]

피고인 장@@은, 이 사건 당일 14:00경 구미시 **동에 있는 집을 나와 구미 나들목과 서대구 나들목을 거쳐 15:00경 대구 **구 **동에 있는 ******의 아버지 집에 도착하였고, 그곳에 머물다가 18:00경 대구 **구 **동 *****에 있는 친구 서@@의 집에 가서 집들이를 하고 21:30경 그곳에서 나온 후 구미로 되돌아왔을 뿐, 공소사실 기재와 같은 성매수 행위를 한 적이 없다고 주장한다.

[판단]

살피건대, 권@@의 수첩에는 권@@이 피고인 장@@의 아이디인 '******'으로 ****에 접속한 사람으로부터 성매매 제의를 받고, 23:20경 차량번호 끝 두 자리가 '**'인 뉴이에프 쏘나타 차량을 타고온 위 사람을 만나 성매매를 한 것으로 되어 있고(수사기록 59쪽), 권@@은 경찰 및 검찰에서 피고인 장@@의 사진을 보고 위와 같이 만난 사람이 맞다는 취지로 진술하였으나, 이는 조사 당시 여러 사람의 사진을 동시에 제시하는 등으로 진술의 신빙성을 높게 평가할 수 있는 범인식별절차를 이행하지 않고 피고인 장@@의 사진만을 제시하여 범인 여부를 확인하게 하여 이루어진 것으로서, 권@@과 피고인 장@@이 종전에 안면이 있는 사이도 아닌 이 사건에 있어, 권@@의 진술 외에도 피고인 장@@을 범인으로 의심할 만한 다른 정황이 존재한다든가 하는 등의 부가적인 사정이 없는 한 그 진술의 신빙성이 낮다고 보아야 할 것이고(대법원 2007. 5. 10. 선고 2007도1950 판결 등 참조), 권@@의 이 법정에서의 진술은 결국 피고인 장@@이 위 성매수를 한 사람인지 잘 모르겠다는 취지인데다가, 앞서 본 바와 같은 신빙성이 낮은 사정이 있기는 마찬가지이다.

여기에 피고인 장@@은 쏘나타 차량이 아닌 차량번호가 *******호인 라세티 차량을 소유하고 있는 점, 피고인 장@@의 현대 하이패스 카드 거래내역에 의하면, 이 사건 당일 구미 나들목으로 고속도로에 진입한 후 15:42경 서대구 나들목으로 진출하였다가, 다시 서대구 나들목으로 고속도로에 진입한 후 22:21경 구미 나들목으로 진출한 차량의 통행료를 결제한 것으로 되어 있어 위 피고인이 주장하는 행적과 일치하는데다가, 위에서 본 아이디로 ****에 접속한 시각이 이 사건 당일 22:07경(수사기록 82쪽, 117쪽)임을 고려하면, 위 하이패스 카드를 다른 사람이 사용하였다는 등의 특별한 사정이 없는 이상, 위 **** 접속시각에 위 피고인은 고속도로에서 운전하고 있었던 셈이 되는점, 서@@은 이 법정에서 이 사건 당일 저녁 친구인 피고인 장@@ 부부와 신@@ 부부를 집들이에 초대하여 함께 저녁을 먹고 맥주를 마시다 21:30경 피고인 장@@이 위 라세티 승용차를 운전하여 처와 함께 귀가하는 것을 목격하였다고 진술하고 있는 점 등에 비추어 보면, 피고인 장@@이 아닌 다른 사람이 같은 피고인의 **** 아이디를 도용하여 공소사실 기재 행위를 한 것이 아닌가 하는 강한 의심이 들고, 달리 피고인 장@@이 공소사실 기재와 같은 성매수 행위를 하였다는 점을 인정할 증거가 없다.

[결론]

그렇다면, 피고인 장@@에 대한 이 사건 공소사실은 범죄의 증명이 없는 경우에 해당하므로 형사소송법 제325조 후단에 의하여 무죄를 선고한다.

[촌평]

성매매의 경우에도 범행시각에 알리바이가 있었다는 점은 무죄 선고의 강력한 요소가 되는바, 알리바이가 있다면 이를 적극적으로 입증하는 것이 무죄 선고에 도움이 됩니다.

[○○○○법원 2020. X. X. 선고 2019고정XX 판결]

기록에 의하면, 이 사건 업소는 유사성행위를 알선하는 업소로, 여종업원이 성매매를 원하는 남성에게 샤워와 맛사지를 해 준 후 손으로 남성의 성기를 자극하여 사정을 시키는 방법으로 유사성행위가 행해진 사실, 경찰관이 현장에 출동하여 위 업소 D호에서 피고인과 E를 적발하였을 당시, E는 팬티와 상의를 입고 있었고 피고인은 침대에 누워 있었던 사실, E는 2019. 2. 15. 경찰서에서 작성한 진술서에 '피고인이 옷을 벗고 씻자 E가 피고인에게 누우라고 하고 엎드린 피고인의 어깨와 등을 맛사지하고 있었다. 당시 E는 팬티와 상의를 입은 상태였다'라고 기재한 사실, E는 2019. 3. 4. 경찰에서 조사받을 당시, '피고인이 옷을 벗고 샤워실에 들어갔고 E는 팬티와 셔츠를 입은 상태에서 샤워실에 들어갔다. E가 손으로 바디워시를 묻혀서 피고인의 등 부위를 씻어주었다. E가 피고인에게 샤워실 안에 있던 침대에 누우라고 하자 피고인이 옷을 벗은 채로 누웠고 E가 옆에 서서 손으로 피고인의 목, 어깨, 등 부위를 맛사지해 주었다. 그 때 문이 쿵쾅거리더니 경찰이 들어와 단속하였다'라고 기재한 사실이 인정되는바, 이와 같이 E가 피고인의 몸을 씻겨주거나 옷을 벗고 침대에 누운 피고인을 E가 팬티와 상의를 입은 채 피고인의 어깨와 등 부위 등을 맛사지하는 행위는 '단순한 애무에 해당'할 뿐, 신체 내부로의 삽입행위에 해당한다거나 성교와 유사한 것으로 볼 수 있는 정도의 성적 만족을 얻기 위한 신체접촉 행위에 해당한다고 볼 수 없고, 달리 이를 인정할 증거가 없다.

[촌평]

성매매가 성립되려면 성교 또는 이에 유사한 신체접촉행위가 필요하므로 종업원과 그 정도에 이르는 행위를 하지 않았다면 그 부분에 관한 일관된 진술을 하는 것이 무죄 선고에 도움이 됩니다.

2. 카메라등 이용 촬영죄(불법 촬영)

가. 법리

성폭력범죄의 처벌 등에 관한 특례법 제14조 제1항은 "① 카메라나 그 밖에 이와 유사한 기능을 갖춘 기계장치를 이용하여 ② 성적 욕망 또는 수치심을 유발할 수 있는 사람의 신체를 ③ 촬영대상자의 의사에 반하여 촬영한 자는 7년 이하의 징역 또는 5천만원 이하의 벌금에 처한다."라고 규정하고 있습니다.

① 카메라는 아니지만 그와 유사한 기능을 갖춘 비디오, 카메라폰, 영사기 등을 포함합니다.

② 촬영한 부위가 '성적 욕망 또는 수치심을 유발할 수 있는 사람의 신체'인지 여부는 객관적으로 피해자와 같은 성별, 연령대의 일반적이고 평균적인 사람들의 관점에서 성적 욕망 또는 수치심을 유발할 수 있는 신체에 해당하는지를 고려함과 아울러, 피해자의 옷차림, 노출의 정도 등은 물론, 촬영자의 의도와 촬영에 이르게 된 경위, 촬영 장소와 촬영 각도 및 촬영 거리, 촬영된 원판의 이미지, 특정 신체 부위의 부각 여부 등을 종합적으로 고려하여 구체적·개별적으로 결정하여야 합니다(대법원 2008. 9. 25. 선고 2008도7007 판결).

☞ 사람의 신체 이미지가 담긴 영상도 위 조항의 사람의 신체에

포함된다고 해석하는 것은 법률문언의 통상적인 의미를 벗어나는 것이 됩니다(대법원 2018. 3. 15. 선고 2017도21656 판결).

③ 피촬영자의 동의를 받거나 추정적 승낙 하에 촬영한 경우에는 본죄는 성립되지 않습니다{이주원, 『특별형법(제9판)』, 홍문사(2023), p.520 이하}.

나. 무죄 판결 연구

[○○○○법원 2019. X. X. 선고 2019고단XX 판결]

이 사건 사진 촬영 당시 피해자들은 고양이에게 먹이를 주기 위하여 쪼그리고 앉아 있어 사진에는 그 뒷모습(피해자 D) 및 옆모습(피해자 C)이 찍히게 되었는데, 당시 무릎위로 올라오는 짧은 청치마를 입고 있어 특히 피해자 C의 경우 허벅지 윗부분까지 노출되기는 하였다. 그러나 사진에서 피해자들이 앉아 있는 전신이 우측 상단에 치우쳐 작게 촬영되어 있는 점에 비추어보면, 원거리에서 일반적인 시야에 통상적으로 비춰지는 부분을 그대로 촬영한 것으로 보이고, 노출 부위나 신체 부위가 특별히 확대되거나 부각되지도 아니하였다. 이와 같은 사정들을 종합하여 보면, 피고인이 촬영한 피해자의 신체 부위가 성폭력범죄의 처벌 등에 관한 특례법 제14조 제1항 소정의 '성적 욕망 또는 수치심을 유발할 수 있는 신체'에 해당한다고 단정하기 어렵고, 결국 이 사건 공소사실이 합리적 의심의 여지가 없을 정도로 증명되었다고 할 수 없다.

[○○○○법원 2018. X. X. 선고 2018고단XX 판결]

각 사진의 경우 상당한 거리에서 피해여성들의 전신이 촬영되었을 뿐 다리를 비정상적 각도나 특수한 기법에 의하여 촬영한 것이 아니거나(순번 1~5번) 레인코트를 입은 피해여성의 거의 전신을 뒤쪽 가슴 높이에서 앞쪽 아래 방향으로 촬영한 결과 피해여성의 다리 중 극히 일부분이 노출되었음(순번 6번)이 인정된다. 이러한 사정을 종합하면, 위 사진들은 객관적으로 피해여성들과 같은 연령대의 일반적, 평균적 사람들의 입장에서 볼 때 성적 욕망 또는 수치심을 유발할 정도라고 단정하기 어렵다.

[○○○○법원 2022. X. X. 선고 2021고단XX 판결]

피고인이 촬영한 피해자의 신체 부위가 성폭력범죄의 처벌 등에 관한 특례법 제14조 제1항 소정의 '성적 욕망 또는 수치심을 유발할 수 있는 신체'에 해당한다고 단정하기 어렵고, 이 사건 공소사실이 합리적 의심의 여지가 없을 정도로 증명되었다고 보기 어려우며, 달리 이를 인정할 만한 증거가 없다.

1) 이 사건 당시 피해자는 무릎까지 내려오는 남색 원피스에 베이지색 가디건을 입고 있었다. 이에 따라 직접 노출되는 피해자의 신체 부위는 목 윗 부분과 손 부분, 치마 끝단이 닿은 무릎과 신발 사이의 종아리 부분이고, 피해자가 입은 옷이 피해자의 신체에 밀

착되어 신체의 특정한 부분이 드러나는 것은 아니다.

2) 피고인은 전동차 내 좌석에 앉은 상태에서 피고인의 바로 맞은 편 좌석에 앉아 있는 피해자의 전신 모습을 촬영하였는데, 피고인이 특별히 피해자의 특정 신체부위를 확대하거나 부각시켜 촬영하지 아니하였고, 공공장소에서 사람의 시야에 통상적으로 비춰지는 모습을 그대로 촬영한 것으로, 피해자의 앉아 있는 모습 전체와 그 옆에 앉아 있는 승객들의 전신 모습까지 같이 촬영하기도 하였다.

3) 피고인이 피해자를 비교적 근접한 거리에서 촬영하기는 하였으나 그 영상은 피해자가 전동차에 앉아 있는 모습 전체를 담고 있어서 성적 욕망이나 성적 불쾌감을 유발하는 자세라기보다는 사람이 왕래하는 공개된 장소에서 자연스럽게 볼 수 있는 모습에 해당하고, 촬영 각도도 앉아 있는 피고인의 눈높이에서 자연스럽게 바라보거나 일반적인 사진 촬영의 각도에서 크게 벗어나지는 않은 것으로 보인다.

4) 피고인이 피해자의 앞에서 위와 같이 피해자의 신체를 촬영한 것이 부적절하고 피해자에게 불쾌감을 유발하는 것임은 분명하지만, 촬영된 피해자의 모습에 비추어 보건대, 이로 인하여 피해자에게 불쾌감이나 불안감을 넘어 성적 불쾌감을 느끼게 하였다고 단정하기는 어렵다.

[촌평]

카메라이용촬영죄 역시 새로운 유형의 성범죄에 해당합니다. 다만 피해자의 신체부위를 찍는 모든 행위가 여기에 해당하는 것은 아니므로, **카메라 등으로 촬영한 것이 신체의 특정부위가 아닌 전신에 해당한다면 본 죄에 해당하지 않을 가능성이 매우 높습니다.** 따라서 무죄를 선고받기 위해서는 이에 관한 적극적 변론이 필요합니다.

3. 아동 · 청소년성착취물의 제작

가. 법리

아동 · 청소년의 성보호에 관한 법률 제11조 제1항은 "아동 · 청소년성착취물을 제작 · 수입 또는 수출한 자는 무기 또는 5년 이상의 징역에 처한다."라고 규정하고 있습니다.

여기의 '제작'에는 아동 · 청소년으로 하여금 스스로 자신을 대상으로 촬영하게 한 경우에도 아동 · 청소년을 이용한 제작에 해당합니다(대법원 2018. 1. 25. 선고 2017도18443 판결).

여기에서 아동 · 청소년성착취물이란 「아동 · 청소년 또는 아동 · 청소년으로 명백하게 인식될 수 있는 사람이나 표현물이 등장하여 제4호 각 목의 어느 하나(注.성교 행위, 구강 · 항문 등 신체의 일부나 도구를 이용한 유사 성교 행위, 신체의 전부 또는 일부를 접촉 · 노출하는 행위로서 일반인의 성적 수치심이나 혐오감을 일으키는 행위, 자위 행위)에 해당하는 행위를 하거나 그 밖의 성적 행위를 하는 내용을 표현하는 것으로서 필름 · 비디오물 · 게임물 또는 컴퓨터나 그 밖의 통신매체를 통한 화상 · 영상 등의 형태로 된 것」을 말합니다(아동 · 청소년의 성보호에 관한 법률 제2조 제5호).

☞ 아동·청소년성착취물(아동·청소년이용음란물)에 해당하는지 여

부를 판단함에 있어, 동영상 등장인물의 나이만을 기준으로 객관적으로 '아동·청소년'에 해당하는지를 판단하는 것과 달리, 동영상에 등장하는 사람이 '아동·청소년으로 명백하게 인식될 수 있는 사람'인지 여부는 해당 성착취물(아동·청소년이용음란물)의 내용과 함께 등장인물의 외모와 신체발육 상태뿐만 아니라, 그 영상물의 출처 및 제작 경위 등을 종합적으로 고려하여 사회 평균인의 입장에서 건전한 사회통념에 따라 객관적이고 규범적으로 평가해야 한다(대법원 2014. 9. 26. 선고 2013도12607 판결 참조).

나. 무죄 판결 연구

[○○○○법원 2022. X. X. 선고 2021고합XX 판결]

1. 이 사건 공소사실 중 2021. 6. 25. 피해자 B에 대한 아동·청소년의성보호에관한법률위반(성착취물제작·배포등)의 점의 요지

피고인은 2021. 6.경 D 오픈채팅방에서 피해자 B(가명, 여, 16세)로부터 17세라는 말을 듣고 피해자가 아동·청소년이라는 사실을 알고 있었다.

피고인은 2021. 6. 25. 02:00경 천안시 동남구 E 모텔에서 피고인의 성기를 촬영한 사진을 피해자 B의 휴대전화로 전송하면서 피해자에게 가슴 사진을 찍어서 보내달라고 요구하여 피해자 B로부터 상의와 속옷을 올린 채로 양쪽 가슴을 촬영한 사진을 전송하게 하였다.

이로써 피고인은 아동·청소년인 피해자 B를 상대로 아동·청소년 성착취물을 제작하였다.

[판단]

이 법원이 적법하게 채택하여 조사한 증거들에 의하여 알 수 있는 다음과 같은 사정들을 종합하면, 검사가 제출한 증거들만으로는 피고인이 피해자 B에게 가슴 사진을 찍어서 보내달라고 요구한 사실을 인정하기 부족하고, 달리 공소사실 기재와 같이 피고인이 피해자에 대한 아동·청소년성착취물을 제작한 사실을 인정할 증거가 없다.

가) 피해자 B는 O센터에서 최초로 이 부분 공소사실과 관련하여 진술하면서 '그때 모르고 카메라가 켜졌어요. 그랬더니 *** 브라만 입고 있었는데 옷 입을려고 누웠어요, 그냥. 좀 답답하더라고요, 옷이. 그냥 이렇게 하고 있었는데 갑자기 카메라가 켜진 줄 모르고 얼굴 이렇게 보고 있었는데 찍힌 거예요. (핸드폰을 들고 사진을 찍듯이 팔을 올리다) 근데 그거를 들었나봐요. 전화하면서. 그 사람이 보내주라고. 계속 찡찡대는 거예요. 그래서 그냥 보내줬어요, 어쩔 수 없이.'라고 진술하였다(2021고합173 증거기록 24쪽)

피해자는 두 번째로 O센터에 출석하여서는 '그때 카메라를 보면서 머리 정리를 하고 있었는데 갑자기 가슴이 아파서 한 번 어떻게 생겼냐 무심코 찍었는데 찰칵 소리가 들렸는데 제가 어떤 사진을 찍었는지 모르는 상태에서 찍은 사진을 보내달라고 했습니다.'라고 진술하였다(2021고합173 증거기록 172쪽).

나) 가슴 사진을 찍게 된 경위에 관한 피해자의 진술 내용이 일부 변경되기는 하였으나, 피해자의 위 각 진술 내용의 전체적인 취지는 피해자가 2021. 6. 25. 02:00경 피고인과 전화통화를 하던 중 피고인의 요구나 개입이 전혀 없는 상태에서 피해자 스스로 자신의 가슴 부위를 휴대전화로 촬영하였고, 피고인은 피해자가 사진촬영을 한 사실을 촬영 이후에 알고서 피해자에게 그 사진을 전송해 달라고 요구하였다는 것이다.

다) 피고인이 피해자로부터 위와 같이 촬영된 가슴 부위 사진을 전송받은 사실을 인정하고는 있으나, 피해자가 자발적인 의사로 피고인에게 위 사진을 전송한 것인지 여부는 별론으로 하더라도, 피해자가 위와 같은 사진을 촬영한 행위 자체에 관하여 피고인이 요구나 지시, 강압 등의 방법으로 그 과정에 관여하였다고 인정할 수 있는 증거는 없다.

[촌평]

아동청소년 성착취물의 제작은 매우 심각한 범죄행위로 이에 관하여 수사의 대상이 되었다면 일단 변호사를 선임하여 신중하게 대응할 필요가 있습니다. 다만 아동성착취물의 촬영이 피해자의 자발적인 의사에 기한 것인 경우 본죄로는 처벌이 불가능하므로 무죄 선고를 위해서는 이에 관한 적극적 변론이 필요합니다.

4. 아동 · 청소년성착취물의 소지 · 시청

가. 법리

아동 · 청소년 성보호에 관한 법률 제11조 제5항은 "아동 · 청소년성착취물을 구입하거나 아동 · 청소년성착취물임을 알면서 이를 소지 · 시청한 자는 1년 이상의 유기징역에 처한다."라고 규정하고 있습니다.

앞서 말씀드린 바 있으나 아동 · 청소년성착취물이란 「아동 · 청소년 또는 아동 · 청소년으로 명백하게 인식될 수 있는 사람이나 표현물이 등장하여 제4호 각 목의 어느 하나(注.성교 행위, 구강 · 항문 등 신체의 일부나 도구를 이용한 유사 성교 행위, 신체의 전부 또는 일부를 접촉 · 노출하는 행위로서 일반인의 성적 수치심이나 혐오감을 일으키는 행위, 자위 행위)에 해당하는 행위를 하거나 그 밖의 성적 행위를 하는 내용을 표현하는 것으로서 필름 · 비디오물 · 게임물 또는 컴퓨터나 그 밖의 통신매체를 통한 화상 · 영상 등의 형태로 된 것」을 말합니다(아동 · 청소년의 성보호에 관한 법률 제2조 제5호).

☞ 아동·청소년성착취물(아동·청소년이용음란물)에 해당하는지 여부를 판단함에 있어, 동영상 등장인물의 나이만을 기준으로 객관적으로 '아동·청소년'에 해당하는지를 판단하는 것과 달리, 동영상에

등장하는 사람이 '아동·청소년으로 명백하게 인식될 수 있는 사람'인지 여부는 해당 성착취물(아동·청소년이용음란물)의 내용과 함께 등장인물의 외모와 신체발육 상태뿐만 아니라, 그 영상물의 출처 및 제작 경위 등을 종합적으로 고려하여 사회 평균인의 입장에서 건전한 사회통념에 따라 객관적이고 규범적으로 평가해야 한다(대법원 2014. 9. 26. 선고 2013도12607 판결 참조).

나. 무죄 판결 연구

[○○○○법원 2021. X. X. 선고 2021고합XX 판결]

검사가 제출한 증거들만으로는 피고인이 2020. 3. 1. 13:35경 어떠한 경로로 이 사건 각 파일의 다운로드가 가능한 E 링크에 접속하게 되었는지 알 수 없다. E 링크는 D 대화방이나 카카오톡 오픈채팅방, 웹사이트에 게시된 글 등 다양한 원천에서 얻을 수 있는 것으로 보여, 경우에 따라서는 피고인이 그 주장과 같이 구글 검색결과로 나타난 웹사이트 게시 글을 통해 이 사건 각 파일의 다운로드가 가능한 E 링크를 얻게 되었을 가능성도 배제할 수 없다. 따라서 피고인이 아동·청소년이용음란물이라는 사실을 알면서 이 사건 각 파일을 다운로드 받았다고 단정하기 어렵다.

피고인이 이 사건 각 파일을 다운로드 받을 당시 이 사건 각 파일이 확장자가 'zip'인 한 개의 압축파일로 압축되어 있었다고 볼 만한 직접적인 자료는 존재하지 않는다. 그러나 ① 이 사건 각 파일은 모두 동일한 피해자에 관한 아동·청소년이용음란물인 점, ② 이 사건 각 파일은 모두 동일한 링크(N)를 통해 다운로드 된 점, ③ 이 사건 각 파일의 다운로드 시각은 모두 '2020. 3. 1. 13:35:56'로서 초 단위까지 동일한 점 등에 비추어 보면, 이 사건 각 파일은 피고인이 다운로드 받을 당시 한 개의 압축파일로 압축되어 있었을 것으로 보인다.

그리고 ① 위 압축파일의 파일명이 무엇이었는지 알 수 없는 점, ② 피고인이 위 압축파일의 압축을 해제한 후 이 사건 각 파일 중 총 몇 개의 파일을 열어 보았는지 알 수 없는 점, ③ 이 사건 각 파일의 파일명은 사진 파일의 경우 숫자로, 동영상 파일의 경우 "O"라는 문자열과 숫자의 결합으로 되어 있어 파일명만으로는 그 내용을 짐작하기 어려운 점 등을 고려하여 보면, 피고인이 위 압축파일의 압축을 해제하여 이 사건 각 파일 중 일부 파일을 열어 보았다고 하더라도 피고인에게 아동·청소년이용음란물을 시청한다는 인식과 의사가 있었다고 단정하기는 어렵다.

라. 피고인이 이 사건 각 파일을 다운로드 받은 후 이를 모두 삭제한 사실은 분명히 인정된다. 그리고 이 사건 각 파일의 삭제 시점을 특정할 만한 아무런 증거가 없는 이상, 이 사건 각 파일의 내용을 인지하게 된 즉시 이 사건 각 파일을 삭제하였다는 피고인의 주장을 쉽사리 배척하기 어렵다. 따라서 피고인이 이 사건 각 파일의 내용을 인지한 후에도 피고인의 휴대전화나 E 계정에 이 사건

각 파일을 계속하여 저장해 둠으로써 아동·청소년이용음란물을 소지하였다고 단정할 수 없다.

[○○○○법원 2023. X. X. 선고 2022고XX 판결]

이 법원이 채택하여 조사한 증거들에 의하여 알 수 있는 다음과 같은 사정들에 비추어 보면 군검사가 제출한 증거들만으로는 피고인이 위 사진을 아동·청소년 성착취물이라는 것을 알고 소지하였다거나 위 사진에 등장하는 사람이 아동·청소년이라거나 아동·청소년으로 명백하게 인식될 수 있는 사람에 해당한다는 점이 합리적인 의심의 여지 없이 증명되었다고 보기 어렵고 달리 이를 인정할 증거가 없다.

1) 피고인은 이 사건 태블릿 PC를 2020. 10.경 아버지로부터 받았다고 진술하고 있으며, 그 사진 파일의 다운로드 내용을 전혀 알지 못하며, 아동·청소년 성착취물을 다운로드 한 적이 없고, 별지 범죄일람표 순번 1번에서 182번의 경우는 사진이 임시파일 형태로 저장되어 있어 소지의 고의가 없으며, 별지 범죄일람표 순번 183번부터 187번의 경우는 사진 자체로 이를 아동·청소년 성착취물이라고 볼 수 없다고 진술하고 있다.

2) 위와 같은 피고인의 진술과 더불어 피고인이 이 사건 사진을 언제부터 어떠한 경로로 얻었는지, 위 사진이 피고인 소유의 태블릿 PC와 휴대전화에 저장될 당시 피고인이 그 사진의 내용을 알

수 있었는지 알 수 있었다면 무슨 내용이었는지 등 피고인이 이 사건 사진을 저장하게 된 경위와 시점, 사진의 출처에 관한 증거가 전혀 제출되지 아니하였다.

3) 별지 범죄일람표 기재 각 사진에 일부 나이가 어려 보이는 인물이 있으나, 각 사진에 등장하는 사람의 신원을 알 수 있는 정보나 나이를 정확히 알 수 있는 객관적 자료가 전혀 없어 해당 인물들이 청소년인지 아닌지 불분명하며 등장인물들의 나이를 추정하기 어렵다.

4) 또한, 이 사건 사진의 파일명들은 숫자로 조합되어 있어 해당 파일명만으로 성착취물의 내용을 포함하고 있는지 아닌지 알 수가 없으며, 그 내용을 짐작하기 어렵다.

3. 결론

따라서 피고인에 대한 이 부분 공소사실은 범죄의 증명이 없는 경우에 해당하므로 군사법원법 제380조 후단에 의하여 무죄를 선고한다.

[OOOO법원 2022. X. X. 선고 2021고합XX 판결]

누구든지 아동·청소년성착취물임을 알면서 이를 소지하여서는 아니 된다.

그럼에도 불구하고 피고인은 2021. 3. 9.경 경기 고양시 덕양구 B아파트 C호에서 피고인이 소지한 휴대전화 저장공간에 별지 범죄일람표 (1) 순번 제6, 9, 10, 11, 13, 14,15, 19, 20번 기재와 같이 아동·청소년으로 명백하게 인식될 수 있는 사람이 성기를 노출하거나 자위행위를 하고 있는 사진 9개를 보관하였다.

이로써 피고인은 아동·청소년성착취물임을 알면서 이를 소지하였다.

2. 판단

가. 관련 법리

아동·청소년성착취물(아동·청소년이용음란물)에 해당하는지 여부를 판단함에 있어, 동영상 등장인물의 나이만을 기준으로 객관적으로 '아동·청소년'에 해당하는지를 판단하는 것과 달리, 동영상에 등장하는 사람이 '아동·청소년으로 명백하게 인식될 수 있는 사람'인지 여부는 해당 성착취물(아동·청소년이용음란물)의 내용과 함께 등장인물의 외모와 신체발육 상태뿐만 아니라, 그 영상물의 출처 및 제작 경위 등을 종합적으로 고려하여 사회 평균인의 입장에서 건전한 사회통념에 따라 객관적이고 규범적으로 평가해야 한다(대법원 2014. 9. 26. 선고 2013도12607 판결 참조).

나. 구체적 판단

이 법원이 적법하게 채택하여 조사한 증거들에 의하여 알 수 있는 다음과 같은 사정들에 비추어 보면 검사가 제출한 증거들만으로는 별지 범죄일람표 (1) 순번 제1내지 4, 6, 9, 10, 11, 13, 14, 15, 19, 20번의 각 사진(이하 '이 사건 각 사진'이라 한다)에 등장하는 사람이 아동·청소년이라거나 **아동·청소년으로 '명백하게' 인식될 수 있는 사람에 해당한다는 점이 합리적인 의심의 여지없이 증명되었다고 보기 어렵고, 달리 이를 인정할 증거가 없다**[피고인 및 변호인은 범죄일람표 (1) 순번 제16, 17의 사진도 등장인물이아동·청소년이라는 점이 불분명하다고 주장하나, 위 각 사진의 등장인물은 교복으로보이는 옷을 입고 있는 점, 'J'라고 기재되어 있는 고등학교 학생증(학생증의 크기, 색상 및 모양이 순번 제7, 12번 사진과 동일하다)을 들고 있는 점, 위 교복 및 학 생증의 모습(얼굴과 이름, 학교 이름을 가리기 위하여 해당 부분에 순번 제7, 12번 사진과 동일한 스티커가 붙어 있고, 학생증을 달고 있는 목줄과 교복 상의, 하의 및 넥타이가 순번 제7, 12번 사진과 동일한 것으로 보인다)에 비추어 피고인이 아동·청소년임을 인정하고 있는 별지 범죄일람표 (1) 순번 제7, 12번과 동일한 인물로 보이는 점 등을 종합하면 위 각 사진의 등장인물은 아동·청소년으로 명백하게 인식될 수 있는 사람에 해당하므로 피고인 및 변호인의 이 부분 주장은 받아들이지 아니한다.

한편, 피고인 및 변호인은 별지 범죄일람표 (1) 순번 13번의 사진에 대하여 아동·청소년 성착취물임을 인정하였으나, 아래에서 보는 바와 같이 위 사진은 아동·청소년성착취물로 보기 어려워 피고인의 진술에도 불구하고 무죄를 선고한다].

1) 피고인은 수사기관에서 'K'라는 인터넷 사이트에서 이 사건 각 사진을 시청하고 소지하였다고 진술하였다(증거목록 순번 32. 제269쪽)하였다. 이와 같은 피고인의 진술 외에 피고인이 이 사건 각 사진을 시청하기 위하여 인터넷 사이트에서 어떠한 검색어를 입력하였는지, 이 사건 각 사진이 게시되어 있던 K 사이트에 등장인물들이 아동·청소년이라는 표시가 있었는지 등 이 사건 각 사진의 출처 및 다운로드 경위가 불분명하다.

2) 이 사건 각 사진에 등장하는 사람의 신원을 알 수 있는 정보나 이들의 나이를 정확히 알 수 있는 객관적인 자료가 전혀 없다. 일부 사진들은 등장인물이 교복으로 보이는 옷을 입고 있기는 하나, 해당 인물이 실제로 고등학생인지 아니면 성인이 교복을 입고 있는 것인지 불분명하다. **특히, 별지 범죄일람표 (1) 순번 제13번 사진의 경우 등장인물이 교복을 입고 있기는 하나 화면 우측 상단에는 일본 AV(성인 비디오)의 워터마크(IPPA)가 현출되어 있고, 우측 하단에는 해당 성인 비디오의 작품번호(L)가 기재되어 있다. 즉, 위 사진은 성인 배우가 교복을 입고 촬영한 영상물의 캡쳐화면일 뿐 아동·청소년성착취물이 아닌 점이 비교적 명백**하다.

3) 이 사건 각 사진 파일명은 의미 불명의 알파벳 및 숫자의 나열 형태로 되어 있어 그 파일명만으로는 그 내용을 짐작하기 어렵

다.

4) 이 사건 각 사진에 드러나는 외모나 발육 상태만으로는 등장 인물이 외관상 의심의 여지없이 명백하게 아동·청소년으로 인식된다고 보기 어렵다.

3. 결론

따라서 이 부분 공소사실은 범죄의 증명이 없는 경우에 해당하므로 형사소송법 제325조 후단에 의하여 무죄를 선고하고, 형법 제58조 제2항 단서에 따라 무죄판결의 요지를 공시하지 않기로 하여, 주문과 같이 판결한다.

[촌평]

아동·청소년 성착취물의 소지역시 아동·청소년의 성보호라는 측면에서 매우 심각한 범죄행위로 취급되고 있습니다. 다만 소지하고 있는 성착취물에 아동·청소년이 등장하는지를 살펴볼 필요가 있습니다. 통상 범죄에 대한 입증책임은 검사에게 있으므로 성착취물에 등장하는 사람이 아동·청소년에 해당하는지는 검사가 입증해야합니다. **어리게 보이는 사람이 나온다는 이유만으로는 본죄가 성립할 수 없는바, 성착취물에 등장하는 사람이 아동·청소년에 해당하는 것처럼 보일지라도 그에 대한 명확한 검사의 입증이 없는 한 피의자의 입장에서는 무죄를 주장해 볼 수 있습니다. 그러나 피의자의 입장에서 그러한 생각이 들더라도 검사가 이에 관한 증거를 가지고**

있는 경우가 많고 그런 생각으로 부인하다 오히려 양형상 불이익을 감수해야할 위험도 있으므로 이 부분은 수사 초기부터 변호사를 선임하여 신중하게 접근하여야 합니다.

5. 통신매체이용음란죄

가. 법리

성폭력범죄의 처벌 등에 관한 특례법 제13조는 "① 자기 또는 다른 사람의 성적 욕망을 유발하거나 만족시킬 목적으로 ② 전화, 우편, 컴퓨터, 그 밖의 통신매체를 통하여 ③ 성적 수치심이나 혐오감을 일으키는 말, 음향, 글, 그림, 영상 또는 물건을 ④ 상대방에게 도달하게 한 사람은 2년 이하의 징역 또는 2천만원 이하의 벌금에 처한다."라고 규정하고 있습니다.

① [대법원 2017. 6. 8. 선고 2016도21389 판결] 자기 또는 다른 사람의 성적 욕망을 유발하거나 만족시킬 목적이 있는지는 피고인과 피해자의 관계, 행위의 동기와 경위, 행위의 수단과 방법, 행위의 내용과 태양, 상대방의 성격과 범위 등 여러 사정을 종합하여 사회통념에 비추어 합리적으로 판단하여야 합니다.

② 성행위하는 듯한 신음소리를 들려준 경우, 무작위로 타인에게 전화를 걸어 상대방이 불쾌감을 느낄 정도의 음란한 말을 하거나 핸드폰 문자메시지나 각종 대화메신저, 채팅어플, 카카오톡 등을 통해 음란한 글이나 문자, 사진 또는 영상 등을 보내는 경우, 피의자가 영상통화로 성기를 위아래로 흔드는 모습으로 보여주어 피해자에게 성적 수치심을 일으킨 경우나 이웃집에 배달된 핸드폰 사용

료 납부고지서를 뜯어 핸드폰 전화번호를 알아낸 후 수차례에 걸쳐 음란전화를 건 경우가 이에 해당됩니다{조현욱. (2017). 통신매체이용음란죄의 문제점과 개선방안. 일감법학, 38, 201-202}.

③ [대법원 2017. 6. 8. 선고 2016도21389 판결] 성적 수치심이나 혐오감을 일으키는 것은 피해자에게 단순한 부끄러움이나 불쾌감을 넘어 인격적 존재로서의 수치심이나 모욕감을 느끼게 하거나 싫어하고 미워하는 감정을 느끼게 하는 것으로서 사회 평균인의 성적 도의관념에 반하는 것을 의미한다. 이와 같은 성적 수치심 또는 혐오감의 유발 여부는 일반적이고 평균적인 사람들을 기준으로 하여 판단함이 타당하고, 특히 성적 수치심의 경우 피해자와 같은 성별과 연령대의 일반적이고 평균적인 사람들을 기준으로 하여 그 유발 여부를 판단하여야 합니다.

④ [울산지방법원 2017. 12. 15. 선고 2017고합194 판결] 성적 수치심을 일으키는 그림 등을 상대방에게 도달하게 한다는 것은 상대방이 성적 수치심을 일으키는 그림 등을 직접 접하는 경우뿐만 아니라 상대방이 실제로 이를 인식할 수 있는 상태에 두는 것을 의미합니다.

나. 무죄 판결 연구

[○○○○법원 2023. X. X. 선고 2023고정XX 판결]

1. 공소사실

피고인은 2022. 10. 14. 23:50경 대구 <주소>에 있는 <사업장명> PC방에서, 인터넷 온라인게임 '리그오브레전드'에 접속하여 'F'이라는 닉네임으로 게임을 하던 중 같은 팀인 피해자 A(남, 19세)가 게임을 못 한다는 이유로 게임 내 채팅창에 피해자를 상대로 "니 애미 느개미 후장이요.", "병신 창련 ㅋㅋ, 싫은데 보지련아.", "다해줘도 못 먹는 말파 병신", "그대로 안방에 있는 니네 G한테 말파궁 박자ㅋㅋ, 잘못박네 그대로 안방가자."라는 글을 게시하였다. 이로써 피고인은 자기의 성적 욕망을 유발하거나 만족시킬 목적으로 통신매체를 통하여 성적 수치심이나 혐오감을 일으키는 글을 상대방에게 도달하게 하였다.

2. 판단

나. 이 사건의 경우

이 사건 변론 및 기록에 의하여 인정되는 다음과 같은 사실 및 사정을 종합하면, 검사가 제출한 증거만으로는 피고인에게 자기 또는 다른 사람의 성적 욕망을 유발하거나 만족시킬 목적이 있었음이 합리적인 의심의 여지가 없을 정도로 증명되었다고 보기에 부족하고, 달리 이를 인정할 증거가 없다.

1) 피고인과 피해자는 서로 일면식이 없고 서로의 성별도 모르는 사이로서, 이 사건 당일 처음으로 함께 팀을 이뤄 리그오브레전드 게임(이하 '이 사건 게임'이라고 한다)을 하게 되었을 뿐이다.

2) 피고인은 피해자의 게임 플레이 방식이나 태도에 불만을 느끼고 피해자의 모욕감, 분노감 등을 유발하여 통쾌감, 만족감 등을 느끼고자 공소사실 기재와 같은 글을 채팅창에 게시하였던 것으로 보이고, 피해자도 피고인에 대하여 '처닫어 니 애ㅁ요ㅋ, 노틸애ㅁ가자ㅇㅇ련이라 그런가, 존나 깝치노ㅋ'라는 글을 채팅창에 게시하며 서로 말다툼을 하던 상황이었다. 피고인이 게시한 글의 정도가 피해자가 게시한 글의 정도보다 더 심하기는 하지만 일반적인 욕설이나 비속어에도 성과 관련된 표현이 포함된 경우가 적지 않고, 자신의 분노를 표출하거나 상대방을 모욕, 조롱함으로써 통쾌함, 만족감 등을 느끼기 위해 성과 관련된 욕설이나 비속어를 사용하는 경우도 다수 있는바, 성과 관련된 욕설이나 비속어를 사용하였다는 이유로 그러한 표현이 곧바로 발화자의 성적 욕망을 유발하거나 만족시킬 목적이었다고 추단하기는 어렵다.

3) 피해자도 피고인이 공소사실 기재와 같은 글을 게시한 이유에 대하여 '게임 내에서 자신의 말을 들어주지 않자 그것에 화가 나 저에게 그런 말을 하였던 것 같다', '그냥 두 가지 중 하나라고 생각한다. 화가 났거나 성적욕망을 채우기 위해'라고 수사기관에서 진술하였는바(증거기록 52, 53쪽), 피해자도 피고인이 화가 나서 분노를 표출할 목적으로 공소사실 기재와 같은 글을 게시하였을 가능성을 인지하고 있는 것으로 보인다. (..)

3. 결론

이 사건 공소사실은 범죄사실의 증명이 없는 때에 해당하므로 형사소송법 제325조 후단에 따라 무죄를 선고하기로 하여 주문과 같이 판결한다.

[촌평]

통신매체이용음란죄의 경우에도 이른바 새로운 유형의 성범죄에 해당합니다. 이 범죄는 이른바 목적범으로 자기 또는 다른 사람의 성적 욕망을 유발하거나 만족시킬 목적을 필요로 합니다. **단순히 문제되는 행위 자체가 성과 관련이 있다 하더라도 위와 같은 목적을 인정할 수 없는 제반 사정들이 존재한다면 무죄를 주장해 볼 여지가 있습니다. 따라서 이에 관하여는 수사 초기부터 변호사와 긴밀히 협의해야할 필요가 있습니다.**

Ⅶ. 양형기준 - 유리한 양형을 받는 방법

1. 양형기준이란?

양형기준이란 법관이 형을 정함에 있어 참고할 수 있는 기준을 말합니다. 법관이 법정형(각 범죄에 대응하여 법률에 규정되어 있는 형벌) 중에서 선고할 형의 종류(예컨대, 징역 또는 벌금형)를 선택하고, 법률에 규정된 바에 따라 형의 가중·감경을 함으로써 주로 일정한 범위의 형태로 '처단형'이 정하여 지는데 처단형의 범위 내에서 특정한 선고형을 정하고 형의 집행유예 여부를 결정함에 있어서 참조되는 기준이 바로 양형기준입니다(양형위원회 홈페이지 중 발췌).

2. 성범죄의 양형기준

성범죄에 관한 양형기준표는 아래 URL에 접속하면 누구나 확인할 수 있습니다.

https://sc.scourt.go.kr/sc/krsc/criterion/criterion_03/sex_01.jsp

예를들어 일반 강간, 청소년 강간, 친족관계 강간, 주거침입 강간, 특수강간, 강도강간 모두에 적용되는 감경요소는 아래와 같습니다. 「[특별양형인자로서] ① 청각 및 언어 장애인, ② 심신미약(본인 책임 없음), ③ 자수, ④ 처벌불원, [일반양형인자로서] ① 소극가담, ② 타인의 강압이나 위협 등에 의한 범행가담, ③ 상당한 피해회복(공탁 포함), ② 진지한 반성, ③ 형사처벌 전력 없음」

더불어 일반 강제추행, 청소년 강제추행, 친족관계에 의한 강제추행, 특수 강제추행, 주거침입 등 강제추행, 특수강도 강제추행에 적용되는 감경요소는 아래와 같습니다. 「[특별양형인자로서] ① 유형력의 행사가 현저히 약한 경우 ② 추행의 정도가 약한 경우, ③ 청각 및 언어 장애인 ④ 심신미약(본인 책임 없음), ⑤ 자수, ⑥ 처벌불원, [일반양형인자로서] ① 소극가담, ② 타인의 강압이나 위협 등에 의한 범행가담, ③ 상당한 피해 회복(공탁 포함), ④ 진지한 반성, ⑤ 형사처벌 전력 없음」

특별양형인자, 일반양형인자, 감경요소, 가중요소에 대한 복잡한 논의가 있으나, 대략적으로 법관은 위와 같은 요소가 있으면 정해진 형량의 범위에서 감경하는구나 정도 이해하시면 되겠습니다.

실무에서는 위와 같은 감경요소에 대한 주장 외에도 다양한 양형자료를 제출하는 편입니다. 예를 들어서 성범죄의 경우 재발방지를 위해서 성범죄 방지교육을 이수하였다던가, 자신의 잘못된 행동을 교정해줄 울타리인 가족이 있다던가, 건강한 사회 구성원으로서 살아갈 수 있다던가 하는 점을 입증할 수 있는 자료를 내곤 합니다. 물론 성범죄에 있어 가장 중요한 양형요소는 피해자와의 합의인 점은 계속해서 강조한 바와 같습니다.

Ⅷ. 성범죄 재발방지를 위한 제도

1. 전자장치 부착 제도

전자장치 부착 등에 관한 법률 제5조 제1항은 "검사는 다음 각 호의 어느 하나에 해당하고, 성폭력범죄를 다시 범할 위험성이 있다고 인정되는 사람에 대하여 전자장치를 부착하도록 하는 명령(이하 "부착명령"이라 한다)을 법원에 청구할 수 있다. 1. 성폭력범죄로 징역형의 실형을 선고받은 사람이 그 집행을 종료한 후 또는 집행이 면제된 후 10년 이내에 성폭력범죄를 저지른 때 2. 성폭력범죄로 이 법에 따른 전자장치를 부착받은 전력이 있는 사람이 다시 성폭력범죄를 저지른 때 3. 성폭력범죄를 2회 이상 범하여(유죄의 확정판결을 받은 경우를 포함한다) 그 습벽이 인정된 때 4. 19세 미만의 사람에 대하여 성폭력범죄를 저지른 때 5. 신체적 또는 정신적 장애가 있는 사람에 대하여 성폭력범죄를 저지른 때"라고 규정하고 있고,

동법 제9조 제1항은 "법원은 부착명령 청구가 이유 있다고 인정하는 때에는 다음 각 호에 따른 기간의 범위 내에서 부착기간을 정하여 판결로 부착명령을 선고하여야 한다. (...)"라고 규정하고 있으며, 동법 제9조 제4항은 "법원은 다음 각 호의 어느 하나에 해당하는 때에는 판결로 부착명령 청구를 기각하여야 한다. 1. 부착명령 청구가 이유 없다고 인정하는 때 2. 특정범죄사건에 대하여 무죄(심신상실을 이유로 치료감호가 선고된 경우는 제외한다) · 면소 · 공소기각의 판결 또는 결정을 선고하는 때 3. 특정범죄사건에 대하여 벌금형을 선고하는 때 4. 특정범죄사건에 대하여 선고유예 또는 집행유예를 선고하는 때(제28조제1항에 따라 전자장치 부착을 명하는 때를 제외한다)"규정하고 있고,

동법 제28조 제1항은 "법원은 특정범죄를 범한 자에 대하여 형의 집행을 유예하면서 보호관찰을 받을 것을 명할 때에는 보호관찰기간의 범위 내에서 기간을 정하여 준수사항의 이행여부 확인 등을 위하여 전자장치를 부착할 것을 명할 수 있다."라고 규정하고 있습니다.

즉 검사는 성범죄 전과가 있는 사람이 다시 성범죄를 저지르거나,

19세 미만 또는 신체 · 정신적 장애자에 대한 성범죄를 저지른 사람에 대하여는 전자장치 부착 청구를 할 가능성이 높고, 법원은 검사의 청구가 이유 있다고 인정할 경우 부착명령을 선고합니다.

☞ 다만, 법원은 집행유예, 벌금형, 선고유예, 무죄, 부착명령 청구가 이유 없다고 인정하는 때에는 판결로 부착명령 청구를 기각하여야 합니다.

☞ 따라서, 판결의 주문은 아래와 같이 나오게 됩니다.피고인을 징역 3년에 처한다.피부착명령청구자에 대하여 10년간 위치추적 전자장치의 부착을 명한다.피부착명령청구자에 대하여 별지 기재와 같은 준수사항을 부과한다.

2. 신상정보 등록

신상정보 등록 대상이 되는 사람은 ☞ 강간, 유사강간, 강제추행, 준강간, 준강제추행, 위 각 죄의 미수범, 강간 등 상해 · 치상, 강간 등 살인 · 치사, 위계 위력에 의한 미성년자 등에 대한 간음, 업무상 위력 등에 의한 강간 · 강제추행, 13세 미만의 미성년자 의제강간 및 추행, 강도강간, 특수강도강간, 특수강간, 친족관계에 의한 강간 · 강제추행, 장애인에 대한 강간 · 강제추행, 13세 미만에 대한 강간 · 유사강간 · 강제추행 · 준강간 · 준강제추행, 강간등 상해 · 치상, 강간등 살인 · 치사, 업무상 위력 등에 의한 추행, 공중밀집장소에서의 추행, 성적목적을 위한 공공장소 침입행위, 통신매체를 이용한 음란행위, 카메라 등을 이용한 촬영, 허위영상물 등의 반포 등, 촬영물 등을 이용한 협박·강요죄 및 위 죄의 각 미수범, 아동에게 음란한 행위를 시키거나 이를 매개하는 행위 또는 아동에게 성적 수치심을 주는 성희롱 등의 성적 학대행위(아동복지법 17조 2호)로 유죄판결이나 약식명령이 확정된 자 또는 신상정보 공개명령이 확정된 자입니다{성폭력범죄의 처벌 등에 관한 특례법 제42조 제1항 본문, 강민구, 『성범죄 성매매 성희롱』, 박영사(2021), p.179}.

☞ 즉 우리가 알고 있는 대부분의 성범죄는 '신상정보등록대상범죄'에 해당합니다.

한편 성적목적을 위한 공공장소 침입행위, 통신매체를 이용한 음란행위, 아동·청소년성착취물 배포·제공·광고·소개·전시·상영, 아동·청소년성착취물 구입·소지·시청으로 『벌금형』을 선고받은 경우에는 신상정보등록대상 범죄에서 제외됩니다.

신상정보등록대상자는 ① 판결이 확정된 날로부터 30일 이내에 성명, 주민등록번호 등 기본신상정보를 자신의 주소지를 관할하는 경찰관서의 장에게 제출하여야 합니다(성폭력범죄의 처벌 등에 관한 특례법 제43조 제1항). ② 이때 관할경찰관서의 장 또는 교정시설등의 장은 제1항에 따라 등록대상자가 기본신상정보를 제출할 때에 등록대상자의 정면·좌측·우측 상반신 및 전신 컬러사진을 촬영하여 전자기록으로 저장·보관하여야 합니다(동법 동조 제2항). 더불어 등록대상자는 제1항에 따라 제출한 기본신상정보가 변경된 경우에는 그 사유와 변경내용을 변경사유가 발생한 날부터 20일 이

내에 제1항에 따라 제출하여야 하고(동법 동조 제3항), 등록대상자는 제1항에 따라 기본신상정보를 제출한 경우에는 그 다음 해부터 『매년』 12월 31일까지 주소지를 관할하는 경찰관서에 출석하여 경찰관서의 장으로 하여금 자신의 정면 · 좌측 · 우측 상반신 및 전신 컬러사진을 촬영하여 전자기록으로 저장 · 보관하도록 하여야 합니다(동법 동조 제4항 본문). ③ 등록대상자가 6개월 이상 국외에 체류하기 위하여 출국하는 경우에는 미리 관할경찰관서의 장에게 체류국가 및 체류기간 등을 신고하여야 합니다(동법 제43조의2 제1항).

☞ 제1항에 따라 신고한 등록대상자가 입국하였을 때에는 특별한 사정이 없으면 14일 이내에 관할경찰관서의 장에게 입국 사실을 신고하여야 한다. 제1항에 따른 신고를 하지 아니하고 출국하여 6개월 이상 국외에 체류한 등록대상자가 입국하였을 때에도 또한 같다(동법 제43조의2 제2항).

☞ 신상정보 등록 면제와 종료에 관하여는 성폭력범죄의 처벌 등에 관한 특례법 제45조의2, 제45조의3을 참조하시면 됩니다.

3. 신상정보 공개

신상정보 공개 대상 범죄는 아래와 같습니다{아동 · 청소년의 성보호에 관한 법률 제49조, 강민구, 『성범죄 성매매 성희롱』, 박영사(2021), p.188}.

① 아동 · 청소년 대상 성범죄(아동 · 청소년의 성보호에 관한 법률 제2조 제2호 참조)

② 강간, 유사강간, 강제추행, 준강간, 준강제추행, 미수범, 강간 등 상해치상, 강간 등 살인 · 치사, 미성년자등에 대한 간음, 업무상 위력등에 의한 간음, 16세 미만 미성년자에 대한 의제 강간(추행)의 죄, 강도강간(미수), 특수강도강간 등, 특수강간 등, 친족관계에 의한 강간 등, 장애인에 대한 강간 · 강제추행 등, 13세 미만의 미성년자에 대한 강간, 강제추행 등, 강간 등 상해 · 치상, 강간 등 살인 · 치사, 업무상 위력 등에 의한 추행, 공중 밀집 장소에서의 추행, 성적 목적을 위한 다중이용장소 침입행위, 통신매체를 이용한 음란행위, 카메라 등을 이용한 촬영, 허위영상물 등의 반포 등, 촬영물 등을 이용한 협박 · 강요

③ 위 죄를 범하였으나 심신상실로서 처벌할 수 없는 자로서 위 ① 또는 ②의 죄를 다시 범할 위험성이 있다고 인정되는 자

다만 예외적으로 피고인이 아동 · 청소년인 경우{사실심(2심) 선고시를 기준으로 판단}. 그 밖에 신상정보를 공개하여서는 아니 될 특별한 사정이 있다고 판단하는 경우에는 신상정보를 공개하지 않습니다.